UNE VIE DE GALA

Nous adressons nos sincères
remerciements à la Succession
Paul Eluard (Claire Sarti,
Michel Dreyfus, Pierre Dreyfus),
au musée d'Art et d'Histoire
de Saint-Denis, au musée Dalí
de Saint-Petersburg en Floride,
à l'Association Atelier André
Breton, à Nicolas Descharnes
et à la Fondation Dalí à Figueras.

Directrice éditoriale
Julie Rouart

Responsable de l'administration éditoriale
Delphine Montagne

Éditrice
Marion Doublet,
assistée de Manon Clercelet

Conception graphique
Marie Pellaton

Révision du texte
Aline Carpentier

Relecture
Violaine Nicaud

Recherches iconographiques
Marie-Catherine Audet

Fabrication
Marie-Hélène Lafin

Photogravure
Reproscan, Italie

Texte initialement publié sous le titre *Gala*
dans la collection « Grandes biographies »
aux éditions Flammarion en 1995,
remanié pour cette édition.

Dépôt légal : novembre 2017
Cet ouvrage a été achevé d'imprimer
en septembre 2017 sur les presses
de Printer Portuguesa, Portugal.

Dominique Bona
de l'Académie française

UNE VIE DE GALA

Flammarion

Salvador Dalí,
Leda atomica, 1949,
huile sur toile,
61 × 46 cm,
Théâtre-Musée Dalí,
Figueras.

GALA,
LA MUSE REDOUTABLE

Avec ses larges épaules, ses cuisses fuselées, ses seins de jeune fille, sur les tableaux de Dalí elle pose en majesté. Le monde, elle le toise avec arrogance et fixe sur lui des yeux d'obsidienne. Des yeux sombres, où ne passe aucun sourire. Ce devait être le regard du sphinx, ou plutôt de la sphinge, quand Œdipe eut à se soumettre à ses questions.

Gala, la plus secrète des muses. Et la moins prête à se confier.

Une femme fermée, murée, impavide. Peggy Guggenheim disait, méchamment, qu'elle était « la plus antipathique des femmes ». Cette réputation, elle l'a elle-même construite et cultivée.

« Quel est votre fantasme, en ce moment précis ? » lui demanda un jour un journaliste. Elle lui répondit du tac au tac : « Manger mon chat ! » Ce qui a laissé bouche bée l'interlocuteur.

Elle ne voulait pas se laisser décrypter. Elle n'est jamais allée vers le public, ni pour le convaincre ni pour le séduire. Elle se contentait d'être là, près des deux artistes qu'elle a choisis pour compagnons de sa vie. Sa forte présence, sa lumière, c'est ce qu'elle possède en propre. Mais cette forte présence, cette lumière lui servent aussi de carapace. Gala se cache dans le halo cru des projecteurs, Gala se protège. D'où ce fascinant mystère, si peu habituel aux autres muses, plus chattes et plus caressantes.

La douceur, le sucre, la mièvrerie, les bonnes manières qui siéent si bien aux muses ordinaires, Gala n'en a que faire. Ce qu'elle a à offrir, c'est tout autre chose : l'énergie, la force brutale et la passion de la vie. De Gala qui fut, n'en déplaise à Peggy, une femme aimée et même très aimée, que connaissons-nous ?

Ce prénom, d'abord. Ou plus exactement ce petit nom, reçu au berceau et qui se passe comme d'une guigne de l'état civil. Deux syllabes brèves, où chante la première lettre de l'alphabet. Pour Dalí, elle restera l'alpha – la première, l'origine du monde. Le prénom en russe est peu répandu, voire pas du tout. On lui préfère Galia. Mais elle, baptisée Elena, fut tout de suite Gala. Qu'importe qui le lui a inventé ? Ce nom original, c'est son sceau. Sa marque de fabrique. Gala ? Pas besoin de préciser – elle est la seule à le porter.

Ce corps, aussi. Celui d'une déesse de l'Olympe. Chanté par Eluard, peint, repeint, surpeint par Dalí, il nous est devenu familier, à force d'être sublimé. Quand, au détour d'un musée, à New York, à Paris, à Figueras, on tombe sur une des peintures pour lesquelles Gala a posé, on n'hésite pas. C'est bien elle. On la reconnaît : une femme solide, charpentée, harmonieuse, à la peau mate et aux cheveux bruns – pas tout à fait noirs. Plus Junon que Vénus, elle respire la santé, la vie.

Ce visage, enfin. Front haut, pommettes larges, menton fort, bouche bien dessinée. Elle n'est pas belle, à proprement parler. Encore moins jolie. Ni attirante : le regard est dur. Mais le port de tête royal, les lignes impeccables du cou, du nez, de la gorge imposent une personnalité : qui ne l'identifierait aussitôt sur ses portraits épars dans les plus grands musées du monde ? C'est le visage d'une femme habituée à régner. Et elle a régné de fait sur deux des plus grands artistes du XXᵉ siècle : elle a été leur reine. Paul Eluard, qui l'a adorée le premier, voyait en elle « la reine de Paleùglnn » – c'est ainsi qu'il lui a dédié son tout premier recueil de poèmes. Surnom celtique, barbare, à la mesure d'une sauvagerie secrète. Salvador Dalí, qui l'a pareillement adorée sa vie durant et l'a accompagnée jusqu'à sa dernière demeure, lui offrit un autre titre merveilleux, celui de « reine de Púbol » – lieu de son ultime royaume. De Paleùglnn à Púbol, le poète et le peintre ont tracé la voie lactée de Gala.

Cette contemporaine, *maja* aussi souvent *desnuda* que *vestida*, a été pour tous les deux bien plus qu'une source d'inspiration : une compagne fusionnelle. Tour à tour leur indispensable, indissociable moitié.

Ils n'ont pas seulement créé près d'elle, à ses côtés. Elle est une part de leur génie : le cœur battant de leur œuvre.

Et pourtant elle existe sans eux : elle a sa propre légende. Célèbre dans le monde entier mais célèbre pour elle-même, sans avoir besoin de recourir au patronyme de ses époux successifs, elle fait partie du gotha international des femmes illustres et figure dans les dictionnaires sous son seul prénom. Est-ce la magie de la poésie ? De la peinture ? Sa lumière ne ternit pas. Le temps a beau passer, Gala garde son aura. Mais aussi, son mystère : il est sans doute l'une des clés de la fascination qu'elle exerce.

Qui est vraiment cette indomptable ?

Elle n'a livré que peu de témoignages écrits sur sa vie privée. Elle n'a donné que de rares interviews et n'a jamais permis à personne d'approcher de trop près le domaine ultra-fermé, ultra-protégé de son intimité. Gala est une forteresse. Un donjon. Une « Tour, prends garde ». Des douves profondes la tiennent à distance des curieux, tout particulièrement des journalistes et des biographes. Jamais secret de femme ne fut si bien gardé.

Elle a accepté de montrer son corps nu, mais n'a jamais ouvert la porte sur ses pensées, ses émotions ou ses sentiments. D'une pudeur farouche, elle n'a jamais rien livré de son monde intérieur. Ses plus belles photographies captent une distance hautaine et cette réserve, cet air impénétrable qui font partie de sa personnalité. Gala parlait peu. Elle ne bavardait pas. Elle se confiait moins encore. Les photos conservent quelques pépites de ses silences, comme un mur invisible autour d'elle.

Cette muse a-t-elle eu un cœur ?
Cette déesse a-t-elle eu une âme ?

Née à Kazan, au bord de la Volga, dans les dernières années du XIXᵉ siècle, Gala est d'abord et avant tout une Russe – l'espèce de femme la plus dangereuse au monde, s'il faut en croire Eluard mais aussi Picasso, qui parlent d'expérience, ayant eu chacun une épouse russe dont ils furent passionnément épris. Les sultans du Moyen-Orient avaient l'habitude de choisir leurs maîtresses parmi les femmes de Kazan, réputées pour leur beauté mais surtout pour leur volupté, à nulle autre pareille. Elles exerçaient, paraît-il, sur les hommes un charme envoûtant. Gala, en digne héritière, est une ensorceleuse.

Quand elle rencontre Eluard, elle n'a pas vingt ans. Très différente des jeunes filles de son âge qui évoluent dans le cercle de la famille de son futur fiancé, elle dénote parmi la petite-bourgeoisie du 18ᵉ arrondissement parisien, ce milieu d'artisans, d'ouvriers et de modestes entrepreneurs qui est celui du poète. Elle arrive de Moscou, a fait des études, fréquenté des avocats, des professeurs, et se serait sûrement inscrite à l'université si le destin n'en avait décidé autrement. Elle vient d'un monde ouvert et vaste, où les livres jouent un grand rôle, où les écrivains, les poètes sont vénérés. Dans ses valises, avec ses chères icônes dont cette chrétienne orthodoxe ne se sépare jamais, elle transporte Dostoïevski, Tolstoï, Balzac et les premières ébauches de son amie d'enfance, la poétesse Marina Tsvétaïéva. Gala est une dévoreuse de littérature. La vie quotidienne, trop banale, trop concrète, l'exaspère.

Elle le sait pourtant, elle n'est pas une artiste. Jamais elle n'écrira de poèmes, comme Marina. Jamais elle n'écrira de romans, comme sa compatriote Elsa Triolet. Elle ne sculpte ni ne peint, alors que tant de ses compatriotes russes suivent les cours des Beaux-Arts. Elle ne crée pas. Aucun génie particulier ne l'habite. Mais l'Art est son domaine de prédilection. Est-ce le hasard ? ou plus sûrement son instinct, chez elle tout-puissant, qui la guide vers les deux hommes auxquels elle sera successivement liée ? C'est la poésie qu'elle épouse, en faisant le choix de Paul Eluard. Et la peinture à laquelle elle se donne, corps et âme, en faisant ensuite le choix de Salvador Dalí. Gala n'est jamais dans la demi-mesure. Ses choix sont aussi passionnés qu'instinctifs.

Rien de rationnel chez elle. Aucun cartésianisme trop français.

Venue de Russie, elle traverse, seule, l'Europe entière, à feu et à sang, en 1917, pour épouser Paul Eluard. Lequel n'a que vingt-deux ans, pas le moindre métier et vient tout juste de trouver son nom – près d'elle. Il s'appelait Eugène Grindel quand elle l'a connu au sanatorium de Clavadel, où ils étaient venus chacun de leur côté soigner une tuberculose, et elle était bien la seule à croire en son avenir prometteur. C'est pour elle qu'il écrit ses premiers vers.

Dix ans plus tard, en 1927, elle abandonnera tout avec la même insouciance et la même assurance. Tout, c'est-à-dire un mari désormais reconnu par ses pairs, les artistes, et leur fille unique, la seule qu'elle aura jamais, Cécile Eluard, pour épouser le destin d'un peintre espagnol encore à ses débuts. Dalí passe pour un homosexuel, est beaucoup plus jeune qu'elle et, bien que chacun s'accorde à lui trouver du talent, tout le monde le tient pour fou. Elle agit non pas par impulsivité, sur un coup de cœur ou un coup de tête, mais propulsée par une intuition, qui lui révèle le chemin à suivre en un seul et court instant. Ses passions sont fulgurantes et, contrairement à d'autres, la mettent sur la bonne voie. Sans tenir compte des conseils de son entourage, ni des mises en garde les plus avisées, elle fait confiance à son destin et croit en sa bonne étoile : ses choix sont solides, quoique a priori ils aient pu paraître délirants. Cette Vierge, née un 26 août, semble souvent plus folle que sage, alors que ses choix lui sont dictés par un instinct très sûr et vont s'avérer excellents pour elle.

Heureuse avec Eluard, Gala s'est nourrie jusqu'à épuisement de poésie, d'échanges intellectuels et artistiques avec leur groupe d'amis. Ce n'est ni une femme déçue ni une femme amère qui quitte le poète surréaliste. Mais elle n'aime pas les complications : Eluard qui, peu après la Première Guerre, l'a entraînée dans un ménage à trois avec son « meilleur ami et demi », Max Ernst, n'a pas réussi à lui faire partager son goût des perversités. Cette monogame, somme toute assez simple en amour, exige le don total. Et la passion unique.

Avec Dalí, elle sera comblée de ce point de vue. Le peintre l'idolâtre. Il ne peut rien faire sans elle. Il ne peut, dit-il, même pas « être » sans elle. Il voit en Gala son épouse et sa maîtresse, son impresario, son infirmière, son ange gardien, sa maman. Et même sa « béquille » : il affirme ne pouvoir faire un pas sans elle ! Gala qui fut si peu maternelle avec sa fille, abandonnée sans états d'âme, se montre une mère exemplaire pour les hommes de sa vie. Maternelle avec Eluard puis avec Dalí, elle exerce sur eux une autorité rassurante, leur apporte protection et bienveillance. Sachant être un guide, parfois sévère, elle éclaire leur route. L'un comme l'autre lui ont toujours fait confiance. Les deux artistes, fragiles et un peu hésitants, chacun à sa manière, vulnérables, n'ont pas seulement accepté sa tutelle et puisé à l'encre de ses yeux : ils ont eu recours à ses forces vives. Elle a été une part de leur énergie créatrice.

Dalí la considère comme son alter ego. Son double intemporel. Il prend vite l'habitude de signer de leurs deux noms enlacés et invente pour elle un alphabet secret. Dans le miroir de la mythologie, il la peint en Léda, la déesse au cygne. C'est un coup de génie. Léda, engrossée par Jupiter (déguisé en cygne), est la mère des jumeaux Castor et Pollux. Dalí a eu un frère aîné, Salvador, mort en bas âge, qu'il a la conviction d'avoir tué en venant au monde. Il l'a en tout cas remplacé. Il vit avec cette dualité : un cauchemar à mettre au compte de ses angoisses innombrables, mais aussi de son identité, des plus tourmentées. C'est un être double, en quête désespérée d'unicité. Il a reconnu en Gala cette part de gémellité. Elle est sa moitié, pour l'éternité. Son âme sœur. Elle est aussi sa mère, Léda : il a le sentiment qu'elle l'a enfanté. Et qu'elle l'enfante encore chaque jour… Sur le toit de leur maison de Cadaquès, l'ancienne cabane de pêcheurs devenue aujourd'hui un musée, à Port Lligat, le peintre aux longues moustaches a sculpté deux œufs géants. Les œufs de Léda et du cygne. Ils semblent dessinés, d'une blancheur immaculée, sur le fond bleu du ciel et de la Méditerranée.

À Port Lligat où j'allais me baigner, adolescente, avec un groupe d'amis de mon âge, je l'ai aperçue quelquefois. Gala traversait la garrigue, indifférente au soleil qui brûlait et à la rudesse du parcours. En short, elle était à l'aise sur les sentiers des chevriers, semés de chardons et de cailloux roses. Elle allait, vers la mer où l'attendait une barque et où guettait un jeune pêcheur. Il l'emmènerait en ramant vers des criques désertes, où elle se baignait nue. C'était la rumeur. Dans les années soixante, cette liberté d'allure étonnait. Surtout en Espagne, où un carcan emprisonnait les mœurs. Gala me fascinait. Il y avait dans sa silhouette, dans son allure, une aisance joyeuse, une liberté facile. Loin d'être engoncée dans un rôle d'épouse, alors qu'elle avait à veiller sur la destinée d'un grand peintre, elle allait, chaussée d'espadrilles, vers le soleil, vers la mer, vers le jeune pêcheur. Je n'ai jamais oublié son image.

C'est une image vivante, qui a un goût de sel et de liberté. Plus tard, à Figueras, où Dalí est né – son père y était notaire –, j'ai bien sûr visité le musée. Ils étaient morts tous les deux, Dalí, misérablement, malgré son statut, sa fortune, sa cote internationale, et Gala, quelques années avant lui – trop tôt. Elle l'avait laissé lui survivre trop longtemps : perdu sans elle, il avait régressé à l'état de petit enfant sans défense. Le tableau de Léda au cygne, que Dalí a baptisé *Léda atomica*, est un des chefs-d'œuvre du musée. De sorte que Gala y règne aujourd'hui encore sans rivale. Son corps est enterré sous la dalle, à peu près à l'endroit où est exposé le tableau. Je ne sais s'il y est encore, ou si le gouvernement espagnol l'a transporté ailleurs, dans un authentique cimetière. Mais à l'époque, au musée Dalí, on marchait sur sa tombe. Les touristes, souvent sans le savoir, piétinaient le corps de Gala pour admirer *Léda atomica*. Je n'ai jamais oublié non plus cette sensation extraordinaire, ce sacrilège. Mais ce sacrilège n'était que la première étape d'une célébration : le sujet peint sur la toile et le corps de Gala, sous la dalle, faisaient revivre la même femme. Celle qui, d'un pas assuré et tranquille, traversait la garrigue, autour de sa maison, pour rejoindre un jeune homme, dans la mer.

À la fin de sa vie, Gala avait une escorte de jeunes hommes. Ayant l'âge d'être leur mère, puis un jour leur grand-mère, elle ne semblait pas préoccupée par la différence d'âge. Sa dernière conquête fut Jésus Christ Superstar, l'acteur vedette de la comédie musicale du même nom. Elle aimait la jeunesse et retrouvait sans doute la sienne à travers ses jeunes compagnons, ses jeunes admirateurs. Elle n'abandonnait pas Dalí pour autant, mais elle tenait à rester vivante – pas seulement une vieille reine, aux pouvoirs démiurgiques. Il lui fallait voyager, s'amuser et que son corps exulte jusqu'aux derniers instants. Restée rebelle, indifférente aux rumeurs toujours méchantes et au qu'en-dira-t-on, elle a poursuivi sa route. Et aimé la vie jusqu'à la fin.

C'est ce que j'ai admiré chez elle : l'énergie vitale. La force qui ne veut pas rendre les armes.

Et c'est pour tenter d'aller vers elle, la plus mystérieuse et la plus redoutable des muses, que j'ai écrit ce livre. Elle n'a jamais cessé de me surprendre. Solaire et habillée d'ombres, sa personnalité est aussi paradoxale que l'air et le feu – deux éléments antinomiques – et qui s'accordent chez elle, comme par magie.

Quand Dalí l'a connue, tout jeune encore et de son propre aveu absolument vierge, c'était l'été. Le bel été catalan. Eluard, reparti tristement pour Paris avec sa petite fille, les avait laissés seuls tous les deux. Ils étaient allongés sur un rocher brûlant, au-dessus de la mer, à Cadaquès. Tout à coup, il lui a demandé, vouvoyant avec timidité cette superbe naïade qui s'offrait : « Que voulez-vous que je vous fasse ? » Gala lui a répondu sans hésiter ce qu'elle seule aurait pu répondre : « Je veux que vous me fassiez crever. »

Gala pose pour le tableau
de Dalí *Leda atomica*.

p. 12
Gala, photographiée
par Brassaï en 1931-1932.

SOMMAIRE

LA JEUNE FILLE
DES NEIGES

Gala (à gauche)
avec ses frères aînés
et sa sœur cadette.

Gala jeune femme
(photographie
non datée).

« Elle a parcouru
plus de mille
kilomètres en train,
seule, à travers
l'Europe, ce qui
peut surprendre,
à une époque
où les jeunes filles
de bonne famille
ne se déplacent pas
sans chaperon. »

LES BRUMES
D'UNE ENFANCE RUSSE

12 janvier 1913. La jeune fille, mince silhouette emmitouflée dans un manteau de fourrure, est descendue du train à la gare de Davos-Platz. Elle se rend au sanatorium de Clavadel, établissement réputé à l'échelle internationale pour l'excellence de ses soins et le luxe de sa pension. Venue du bout du monde pour y soigner une tuberculose récemment diagnostiquée, la maladie du siècle, elle espère que l'air des montagnes suisses lui rendra la santé.

Elle a parcouru plus de mille kilomètres en train, seule, à travers l'Europe, ce qui peut surprendre, à une époque où les jeunes filles de bonne famille ne se déplacent pas sans chaperon. Cette courageuse personne a l'habitude du froid et de la neige : elle est russe. Mais c'est la première fois qu'elle quitte son pays natal. Un exil qu'elle espère provisoire : l'aventure promise n'a pas les couleurs dont elle rêvait. Quand elle pénètre dans l'univers feutré, aseptisé, du sanatorium, au milieu des blouses blanches du personnel, la direction enregistre son état civil : Elena Dimitrievna Diakonova, et note qu'elle habite Moscou. Elena ? Elle hausse les épaules en déclinant son identité. Personne ne l'a jamais appelée Elena. Son prénom usuel est Gala, dit-elle d'une voix ferme, en accentuant la première syllabe. Prénom rare, même en Russie où on lui préfère Galia. Ses parents, ses frères et sa sœur l'ont toujours nommée ainsi. Son prénom est la première de ses différences. Elle en fera un jour un véritable sceau.

Fräulein Dimitrievna Diakonova – on parle allemand à Davos – n'est pas née à Moscou, mais à Kazan, la capitale des Tatars, au bord de la Volga. Le 26 août[1] 1894, sous le signe de la Vierge. La réputation des femmes de Kazan est légendaire : les sultans les recrutaient pour leur beauté et surtout pour leur volupté qui était, semble-t-il, sans égale.

Que sait-on d'elle, cette mystérieuse pensionnaire, si sombre et solitaire à dix-neuf ans ? Diakonova la désigne comme la fille de Diakonov – Ivan Diakonov, mort en 1905. Sa mère, Antonina, née Deoulina, est remariée à Dimitri Illitch Gomberg, un avocat d'origine juive que Gala considère comme le meilleur des pères et dont elle porte le nom associé au sien (Dimitrievna). La fratrie Diakonov compte deux garçons plus âgés que Gala, Vadim et Nicolas, et une sœur de huit ans sa cadette, Lidia. Tous les enfants de Diakonov sont de religion orthodoxe et pratiquants. Gala n'a que peu de vêtements, peu d'objets personnels dans ses valises, mais elle a emporté de Russie ses icônes, dont elle ne se sépare jamais. Juif par son père, ce qui lui permet

p. 14
Bal masqué à Clavadel.
Une photo que Paul
Eluard dédicacera ainsi
à André Breton : « Paul
en habits de Gala. »

---

1. Selon le calendrier julien, soit le 7 septembre selon le calendrier grégorien.

d'habiter Moscou – ville interdite aux Juifs jusqu'en 1917[2] –, Dimitri Illitch Gomberg est un bourgeois laïque et libéral. Il croit aux idées nouvelles de justice et de progrès. Chez lui, au 14 de la rue Troubnikovski, la bibliothèque est la partie vivante du foyer. Il entretient généreusement sa famille, veille aux études des enfants et à leur développement personnel : culture, sport, lectures et sorties au théâtre, rien n'est négligé pour faire d'eux, garçons et filles, des citoyens assumés. La santé d'Elena est un souci constant depuis son plus jeune âge. Sa fragilité physique ne l'a toutefois pas empêchée d'étudier et elle a toujours été une bonne élève. Elle aurait voulu s'inscrire à l'université. La maladie en a décidé autrement. À Moscou, Elena Diakonova n'a pas seulement laissé sa famille. Elle a aussi laissé une amie, camarade de classe qu'elle surnommait Assia : Anastasia Tsvétaïéva[3], fille d'un professeur d'histoire à l'université et sœur cadette d'une poétesse débutante qu'elle admire éperdument, Marina Tsvétaïéva[4].

Une famille lointaine et des amies perdues : le moins que l'on puisse dire de cette jeune fille, si radicalement coupée de ses racines, c'est qu'elle ne cultive pas les nostalgies. Elle parle peu de la Russie et peu de son enfance. À peine apprend-on que sa mère a un diplôme de sage-femme, quoiqu'elle n'exerce pas. Et que la tuberculose dont Gala est atteinte n'est pas parmi les plus graves cas du sanatorium. À Clavadel, on prétend que la jeune fille souffrirait plutôt de cyclothymie : tantôt agitée et même bouillonnante, tantôt déprimée, elle passe de manière brutale, imprévisible, de la tempête à l'eau qui dort. Quels que soient ses désordres nerveux, Gala se montre avare de confidences. Farouche et sur ses gardes, réservée au point de paraître froide, elle trouve refuge dans les livres, certains en caractères cyrilliques, qu'elle a apportés de son lointain pays.

UN PAQUEBOT
SUR LA MONTAGNE

Perché sur les hauteurs et isolé dans la neige, le sanatorium est une bâtisse majestueuse, construite en 1904. Sous la houlette du docteur Bodmer, les malades ainsi que le personnel y vivent retranchés du monde. La nature somptueuse des Grisons les encercle. Le courrier et le

---

2.   En Russie, l'égalité des droits a été accordée aux Juifs par décret, le 20 mars 1917. Un numerus clausus délimitait depuis 1887 les zones de l'empire, en particulier les villes, où ils étaient interdits.
3.   Anastasia Tsvétaïéva a publié ses *Souvenirs* à Moscou, en 1971.
4.   Les poèmes de Marina Tsvétaïéva ont été publiés en français, bien après sa mort (en 1941), par divers éditeurs, notamment Gallimard, Clémence Hiver, L'Âge d'Homme, Seghers, Le Cri.

Sanatorium
de Clavadel, 1911.

La gare de Davos
vers 1909.

19

journal, distribués chaque matin à heure fixe, apportent les quelques nouvelles de l'extérieur.

Le « sana » tient de l'hôpital : par peur de la contagion, on aère souvent les salles communes, on passe les sols à l'eau de Javel, on fait bouillir le linge, on rince à l'alcool les crachoirs, uniques bibelots de ce décor austère, conçu pour préserver une atmosphère saine. Il tient aussi de la prison : les pensionnaires y sont reclus et astreints à une discipline rigoureuse. Contraints de vivre entre eux, par crainte de la contagion, ils ne sortent que rarement de cet établissement de luxe coupé du reste de la planète, où le temps, qui passe plus lentement qu'ailleurs, paraît suspendu à l'oracle des médecins, à la courbe de la température.

Gala connaît l'angoisse des grands malades. Autour d'elle, le tableau n'est pas rose. Les toux, les mines fiévreuses ou grises ont de quoi attrister, bien que chacun veuille croire qu'il peut guérir. Le docteur Bodmer entretient un climat d'optimisme, l'une des clés de la thérapie. Afin d'épargner à ses pensionnaires le spectacle de la déchéance finale, particulièrement douloureuse, du tuberculeux, il envoie à l'hôpital les malheureux incurables. Gala suit à la lettre, comme les quarante-neuf autres résidents du sanatorium, les consignes de la cure : lever à huit heures, petit déjeuner dans la salle commune, repos. Promenade. Déjeuner à midi, repos. Promenade. Goûter, repos. Dîner. Coucher avant dix heures… Programme immuable. La prise de la température s'effectue plusieurs fois par jour, chacun peut suivre sa courbe fluctuante et note ses variations, ses hauts et ses bas, dont tout le diagnostic dépend. Les médecins prescrivent viande rouge, pain, vin, laitages à tous les repas. D'ouvrir les fenêtres, même si l'hiver est rude. De s'exposer au soleil. Et de proscrire toute agitation. Dans la galerie du rez-de-chaussée, où les malades viennent s'étendre après le déjeuner et s'offrent aux rayons du soleil hivernal, une infirmière rappelle à l'ordre les bavards. La sieste est un moment capital de la cure, mais Gala, trop agitée, ne tient pas en place. L'infirmière, qui fait pourtant peu d'exceptions, tolère qu'elle ouvre un livre, seule manière de l'apaiser. La jeune fille, à un âge encore tendre, apparaît bien seule dans cet hôpital de luxe. Si les visites sont autorisées, elle ne reçoit pour sa part que son courrier. Elle n'a jamais expliqué les raisons de cette solitude, ni pourquoi sa famille ne vient jamais la voir.

L'ennui guette les pensionnaires, dans l'implacable routine. Gala aimerait rencontrer quelqu'un de son âge pour plaisanter, rire comme naguère dans la maison des Tsvétaïév. Or, au sanatorium, il n'est qu'un seul jeune homme. Très insolite. Car il est français. Parmi les hôtes allemands, russes, autrichiens, suisses et britanniques, il a une autre particularité : il a, lui aussi, la permission de lire pendant la sieste.

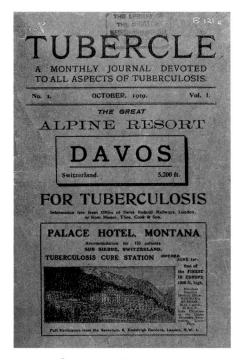

Premier numéro du journal spécialisé *Tubercle*, octobre 1919.

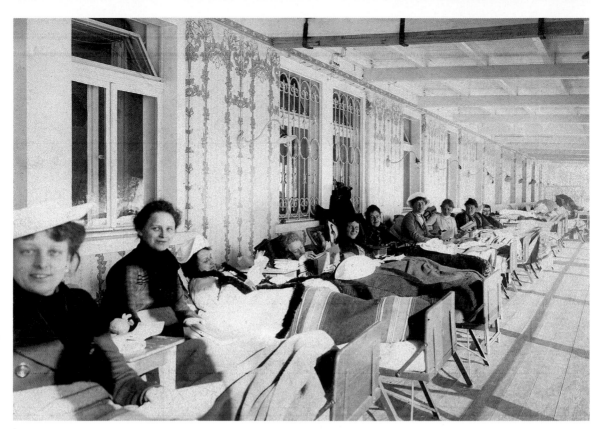

Le sanatorium
de Clavadel à l'heure
de la sieste.

Gala à Clavadel
en 1913.

« Gala connaît
l'angoisse des grands
malades. Autour
d'elle, le tableau
n'est pas rose.
Les toux, les mines
fiévreuses ou grises
ont de quoi attrister,
bien que chacun
veuille croire
qu'il peut guérir. »

Gala et Paul Eluard
au sanatorium
de Clavadel.

Paul Eluard dessiné
par Gala, 1912.

LE POÈTE
S'APPELLE GÉGÈNE

Eugène-Émile-Paul Grindel vient tout juste de fêter ses dix-sept ans, en décembre[5]. Sa mère partage sa chambre : elle est venue l'installer et s'assure qu'il suit sagement sa cure. Le « p'tit Gégène », comme elle l'appelle, est couvé en fils unique par des parents auxquels il donne bien des soucis. À deux ans, il a manqué mourir d'une méningite et il n'a plus depuis cessé d'être malade. La tuberculose s'est déclarée il y a six mois. Devant l'ampleur de ses hémoptysies, on lui a prescrit le sanatorium en montagne. L'adolescent n'est pas un patient perdu, la lésion de son poumon gauche n'est que superficielle ; mais il vit néanmoins sous la menace.

Eugène Grindel est parisien. Sa famille vient d'emménager rue Ordener, dans le 18e arrondissement, à l'angle de la rue de la Chapelle. C'est en banlieue qu'il a passé la plus grande partie de son enfance. Pour Gala, ces adresses sont mystérieuses et exotiques. Elles désignent en fait, au nord de la capitale, parmi des gares, des entrepôts et des hangars, les quartiers populaires où la famille Grindel est établie depuis deux générations. Eugène ne cache pas ses origines. Il est fier de l'histoire de ses parents et conscient des sacrifices qu'ils ont dû consentir. Côté maternel, ses ancêtres sont des paysans du Perche, montés à Saint-Denis pour trouver à s'employer dans les usines. Côté paternel, des tailleurs de Fécamp, puis des mécaniciens sur les chantiers de Gonfreville-l'Orcher, près du Havre. À Saint-Denis, quelques-uns sont devenus manœuvres dans les laminoirs. Le grand-père Grindel est mort roué de coups, assassiné par des voleurs, un soir de paie.

Paul, enfant, entouré
de sa famille, vers 1907.

Son père, Clément Grindel, a débuté dans la vie comme employé comptable. Il n'a jamais été ouvrier comme ses frères. Depuis 1900, il est son propre patron, ayant monté une affaire d'achat et de vente de terrains dans la banlieue nord. Il a misé sur l'industrialisation, et il a eu raison : la population est en pleine expansion, à proximité des minoteries, des distilleries et des usines métallurgiques. En 1913, il est depuis longtemps prospère. C'est un homme jovial, avec l'allure d'un qui a réussi. Sa mère, Jeanne-Marie, une femme inquiète, semble avoir transmis à leur fils son air mélancolique. Mise à l'ouvrage dès son plus jeune âge, elle a été placée dans des ateliers de couture ; abandonnée par son père, orpheline d'une mère morte de

---

5.   Il est né le 14 décembre 1895.

tuberculose à trente-sept ans, c'est elle qui a fait vivre son jeune frère et sa sœur. Après son mariage, elle a travaillé à domicile ; elle y a même employé des cousettes. Mais, depuis que son mari est à la tête d'une fructueuse affaire, elle ne s'occupe plus que de son ménage.

C'est par esprit de revanche sur un passé trop rude que ses parents gâtent tellement Eugène. Il n'a jusque-là jamais quitté les siens. Abreuvé d'affection, il a été élevé dans un cocon qu'on peut trouver étouffant. C'est un lecteur compulsif, auquel son père envoie chaque semaine, depuis Paris, des livres achetés scrupuleusement d'après les listes qu'il lui établit. Eugène est allé à l'école communale, où il a été un élève docile, plutôt moyen. Il vient tout juste de passer son brevet et il n'ira pas au lycée. À seize ans, dans son milieu, on devient apprenti. Mais Eugène est si fragile… Dès qu'il sera guéri, Clément Grindel compte l'employer à l'agence immobilière – on ne lui a pas demandé son avis. Rue Ordener, le bureau est au rez-de-chaussée, l'appartement familial au premier étage : son destin, loin de tout esprit d'aventure, est soigneusement balisé.

Paul en compagnie de deux autres patients au sanatorium de Clavadel.

Gégène aurait dû commencer son apprentissage en septembre. Fin août, comme par un fait exprès, il est tombé malade. À Clavadel, où il prolonge ses vacances, il en profite pour se livrer à sa passion de la lecture et, parfois, à l'heure de la sieste, Gala le voit griffonner des vers. Il écrit avec ferveur. Hélas, la poésie n'est pas un métier, on le lui a assez répété. Clément Grindel voudrait détourner son fils de cette vocation qu'il réprouve. La famille ne compte aucun intellectuel, son ambition sociale ne dépasse pas les limites de la petite bourgeoisie. La devise de cet univers rétréci : « Mon gosse, ma femme, moi : après nous, les mouches[6] ! »

« PAUL, EN HABITS DE GALA »

Lors d'une sieste, Gala esquisse au crayon violet un profil : quelques lignes et un regard. « Portrait d'un jeune homme, poète de 17 ans »,

---

6. Cité par Jean-Charles Gateau dans sa biographie : *Paul Eluard, ou le frère voyant*, Laffont, 1988.

« Eugène est un lecteur compulsif, auquel son père envoie chaque semaine, depuis Paris, des livres achetés scrupuleusement d'après les listes qu'il lui établit. »

écrit-elle en français. Et elle ajoute au bas de la page, comme pour se moquer de l'ébauche un peu trop simple : « Triangulisme ! » Puis elle fait passer son dessin, dans le dos de l'infirmière, de main en main jusqu'à l'intéressé, qui lisait tranquillement sur sa chaise longue. Il prend le bout de papier, le regarde et y inscrit, avec une certaine coquetterie : « Quel jeune homme ? Dites vite ! » La feuille de correspondance repart en sens inverse, subrepticement. Les pensionnaires qui séparent les jeunes gens jouent les messagers. Gala, impertinente, griffonne : « Aujourd'hui le soir, vous mangez avec moi. » Le ton se veut sans réplique. Et la réponse, courtoise : « Je suis votre disciple. »

La glace est brisée. Les petits papiers qui circulent à la sieste ou se glissent sous la porte des chambres fixent des rendez-vous, portent des messages tendres. Aux mots volants succèdent bientôt les vraies conversations. Eugène et Gala deviennent inséparables. Mme Grindel déjeune et dîne avec eux. Dès que les médecins le leur permettent, les deux jeunes gens font une courte promenade. La neige rend la marche difficile : tout juste peuvent-ils aller respirer dehors, à quelques pas. Leur liberté est des plus restreintes. De même que l'intimité. Le personnel de Clavadel veille aux mœurs ! Gala et Eugène se regardent les yeux dans les yeux, ils se tiennent la main, ils s'écrivent des mots doux. Parfois, sans raison, ils éclatent de rire, complices, heureux de s'être trouvés. Et ils ajoutent « Hi ! hi ! hi ! » au bas des messages, parvenus jusqu'à nous.

Ils se découvrent aussi en échangeant des livres : Dostoïevski, Hugo, Baudelaire. Bientôt, Eugène lit à la jeune fille russe ses poèmes. Il a l'habitude de mettre en vers tout ce que la vie lui inspire. Les poèmes pour Gala, il les écrit souvent en sa compagnie, tandis qu'allongés sous la verrière, ayant rapproché leurs chaises longues, elle rêve à ses côtés. Ce sont les premières images, quelques touches à peine, d'un tableau qu'il ne va plus cesser de peindre. Gala est la première auditrice et la première lectrice d'Eugène Grindel. Elle croit en lui, au point de lui prédire un destin : « Vous serez un très grand poète. » Ce sont les mots d'une pythie.

Moi je voudrais, un temps, avoir des ailes,
Mettre en vers tous mes pensers rétifs,
Saisir, fixer des rythmes fugitifs,
Mais je suis las et fais des ritournelles
    Devant mourir [7].

Premiers poèmes de Paul Eluard : manuscrit envoyé à l'éditeur.

---

7. Les *Premiers poèmes* de Paul Eluard, dont sont tirés ces vers et les suivants, figurent dans le tome II des *Œuvres complètes* de la Bibliothèque de la Pléiade, édition présentée, préfacée et annotée par Lucien Scheler, Gallimard, 1965.

Il lui parle de sa vocation, en contradiction avec les projets que ses parents nourrissent pour lui, de sa vénération pour «les poètes morts de faim en ciselant du rêve», et lui dédie tout ce qu'il compose. La jeune Russe n'assiste pas seulement à la création de ses poèmes, elle y participe.

C'est une femme bien étrange
Que celle qui vient, chaque nuit,
Ôter, du rêve, un peu d'ennui.

Il voit en Gala l'image de « La Tour, prends garde », inaccessible et imprenable. Le voici dans la situation de «l'amant sans sévices», contraint d'aimer sans posséder.

Baisez ma hanche sinueuse,
Toute ma chair voluptueuse,
Avec de monstrueux desseins.
Mais laissez mon sexe et ma bouche.

Pour célébrer Mardi gras, la pension organise une fête costumée. Il faut distraire les malades. Les préparatifs durent plusieurs jours. Chacun élabore son costume, imagine un personnage. Eugène et Gala ont comploté. À l'heure du dîner, tandis que surgissent un à un les pensionnaires déguisés en sultan, en Carmen, en César ou en reine d'Égypte, c'est ensemble qu'ils font leur entrée : en Pierrot. Illusion étonnante, de voir surgir des frères jumeaux. Les deux Pierrot se tiennent par la main. Ils avancent du même pas, silencieux, comme deux ombres blanches.

LA REINE
DE PALEÙGLNN

Jeanne-Marie Grindel ne voit évidemment pas Gala avec les mêmes yeux amoureux. Cette jeune fille sans famille, si radicalement différente et qui parle français avec un fort accent étranger, l'étranger commençant pour elle aux portes de son quartier, ne lui inspire que méfiance. Dans sa conception étriquée de la géographie, elle prend la Russie pour une terre barbare et les chrétiens orthodoxes pour une tribu d'hérétiques. Gala devient « la Russe », méchant sobriquet. Énigmatique, changeante, imprévisible, au point que son fils lui-même pourra la caricaturer, Gala n'est pas du tout le genre de jeune fille que Mme Grindel souhaiterait que son fils fréquente.

Paul et Gala à Clavadel
en 1913.

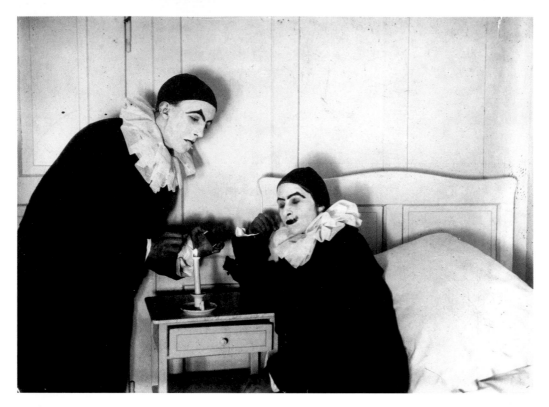

Mardi gras à Clavadel.

Le Russe est un neurasthénique,
Sans cesse examinant, creusant
Un problème psychologique.
Le Russe est un neurasthénique
S'adjugeant un pouvoir magique.
[…]
Souvent, il est énigmatique,
Bizarre, anathématisant.
Il a l'allure satanique…

Paul, lui, est sous le charme. Mme Grindel s'inquiète. Sentant bien qu'elle perd toute influence, elle critique, gronde, et ne quitte plus un air renfrogné. Eugène, pris entre ces deux femmes, résume ainsi la situation : « La jeune m'a giflé, la vieille m'a fessé[8]. »

Quand Mme Grindel repart pour Paris, elle ne soupçonne pas que la poésie va sceller l'amour des jeunes gens. Pour Eugène, Clavadel marque sa naissance de poète. Les deux événements sont indissociables, l'amour de Gala, l'amour de la poésie. C'est la jeune fille russe qui recopie de sa main les premiers poèmes qu'il enverra à Paris[9]. En décembre 1913, Eugène Grindel reçoit par la poste sa première œuvre publiée : une plaquette de cent onze pages, intitulée *Premiers poèmes* et imprimée grâce à son argent de poche.

« **Les deux événements sont indissociables, l'amour de Gala, l'amour de la poésie.** »

« *Par les grands bois, par les prairies,*
Pensant à sa belle aux seins blonds
[…]
La grâce touche le poète. »

Il a signé le recueil PAUL-EUGÈNE GRINDEL. Gala commence à l'appeler Paul. Elle assiste à l'éclosion d'un poète qui en est encore à se chercher un nom. Il prendra bientôt celui d'Eluard, nom de jeune fille de sa grand-mère morte dans la misère à l'âge de trente-sept ans. Le deuxième recueil, publié de même à compte d'auteur sous le titre de *Dialogues des inutiles*, contient quatorze petits poèmes en prose, écrits près de Gala et tirés de leurs conversations secrètes.

« Je baiserai partout, au centre de vous, en haut et en bas, et quand, tout émue, tu frissonneras, j'aurai dans mes bras la coupe non bue que j'épuiserai, non sans intérêt », écrit le poète, tandis que l'inconnue lui répond avec impertinence et sur un ton sec dans lequel on la reconnaît (un peu arrangé en français) : « Intérêt double, quoique sitôt fait, je te saque. »

Gala en a coécrit la préface. Quelques lignes à peine pour dire, très simplement mais sans détour, toute son admiration.

---

8.   « Le fou parle », dans *Premiers poèmes, Œuvres complètes, op. cit.*, t. I, p. 3.
9.   Donation Lucien Scheler, à la bibliothèque littéraire Jacques-Doucet.

*On ne doit pas s'étonner si c'est une femme – mieux :
une inconnue – qui présente ce petit volume au lecteur.
L'auteur m'a connue un certain temps, et réciproquement.
Son œuvre me semble un petit chef-d'œuvre. Elle est comme
l'émanation la plus spéciale d'une âme assez bien installée,
si je puis dire ainsi.
Parmi les pages qui suivent on peut tout trouver – et, partant, tout
chercher.
La parole s'est rythmée pour exprimer des faits qui l'étaient
très peu.
Je remercie l'auteur de cette merveilleuse sensation d'art
prolongée qu'il m'a fait ressentir* [10].

Elle a signé ce joli texte d'un nom mystérieux : « Reine de Paleùglnn ».
Un cryptogramme entre amoureux, anagramme de Paul-Eugène Grindel
ou de « À PEG un rien d'Ellen ». Paul a dédié son recueil – trente et une
petites pages – « à Celle qui… ».

Sans encore la nommer.

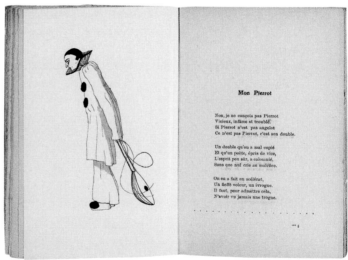

Couverture et pages
intérieures des
Dialogues des inutiles
de Paul Eluard.

10. *Œuvres complètes, op. cit.*, t. II, p. 749.

Paul et Gala à Clavadel
en 1913.

L'ÉPOUSE
AUX POUVOIRS
DE SIRÈNE

LOINTAINES PATRIES

En avril 1914, Paul et Gala, déclarés guéris, quittent le sanatorium pour regagner leurs foyers respectifs. Après plus d'une année passée ensemble, ils se sont promis de se retrouver au plus vite, ce qui est un défi à la géographie et aux circonstances. La guerre, déclarée au mois d'août, va rendre plus improbable encore le rêve des deux amoureux. Les Grindel, quoique pacifistes, dans la tradition socialiste – comme le clame Jaurès, seule la paix peut favoriser le progrès social –, n'en sont pas moins patriotes. Ils ne veulent pas entendre parler de fiançailles alors que leur fils, qu'ils jugent trop jeune pour se marier, est parfaitement en âge d'aller se battre. Quant à Gala, sa sœur se souvient qu'à Moscou, elle reste obstinément enfermée dans sa chambre, un thermomètre dans la bouche et un porte-plume à la main : elle écrit tous les jours à son fiancé. Sa famille désapprouve cette lubie. Lidia garde en mémoire le visage fermé de sa sœur, son expression butée lorsqu'on la contrarie. Rien ne pourra jamais la détourner d'un but qu'elle s'est fixé.

À Paris, Paul en attente d'être mobilisé a, pour raisons de santé, été versé dans le service auxiliaire. Il doit être incorporé en décembre. Il s'occupe comme il peut, en aidant son père à l'agence, en discutant des heures avec un sympathique Montmartrois anarchiste, Jules-Aristide Gonon.

La guerre s'installe et se prolonge, tandis que chaque famille compte bientôt ses morts. À Moscou, les trains de marchandises ramènent du front des blessés par centaines, les services de la Croix-Rouge sont débordés, la mère de Gala va apporter son aide à l'hôpital principal. Elle en revient avec les histoires les plus tristes et des échos inquiétants : l'armée du tsar se révèle affaiblie. À la fin de l'année, le front français s'étend sur près de sept cents kilomètres, de l'Yser à la frontière suisse. Les poilus se préparent à passer leur premier Noël dans les tranchées. Entre Paul et Gala, l'Europe à feu et à sang.

« Rien ne pourra jamais détourner Gala d'un but qu'elle s'est fixé. »

LA GUERRE
SUR TOUS LES FRONTS

L'année 1915 et le début de l'année suivante, Paul les passe dans des hôpitaux militaires : sa santé n'a pas supporté les fatigues, la mauvaise nutrition et le froid. Bronchites, « anémie cérébrale », « appendicite chronique », il retombe systématiquement malade. Il en sort le 14 décembre, pour ses vingt ans. Eugène Grindel n'a rien vu de la guerre et ne s'est guère éloigné de son nid ; il parle toujours de « la petite Russe », que sa mère bien à tort croit reléguée au domaine de la nostalgie.

Le père, affecté aux bureaux des boulangeries militaires, participe à l'effort de guerre. À lui aussi, Paul, sachant pourtant à quel point il est

p. 32
Mariage de Gala
et Paul Eluard,
le 21 février 1917.

hostile à leurs retrouvailles, ne cesse d'écrire son attachement durable à celle qu'il ne nomme pas. « Mon petit père, je m'ennuie mais je pense sans cesse et seulement à toi, à maman et à quelqu'un que tu sais bien qui ont tant de raisons aussi de s'ennuyer parce qu'ils aiment et qu'ils attendent. » Entre le père et le fils, le ton monte. Il est pour le moins inopportun de parler de fiançailles. « Tu es assez fatiguée, depuis le début de la guerre, écrit Clément Grindel à sa femme, pour ne pas encore ajouter une charge à toutes nos charges moralement, corporellement et financièrement. En ce moment c'est impossible [1]. » En 1915, le front s'enlise tandis que le maréchal Joffre ordonne de vaines et sanglantes offensives. À l'hôpital, Eugène confie à sa mère combien il se sent déchiré entre ses convictions pacifistes et son sens du devoir.

Sur le front oriental, la Russie est en pleine déroute. Ses soldats, mal équipés, mal vêtus, mal nourris, chargent parfois à la baïonnette contre les mitrailleuses allemandes. L'artillerie a du mal à soutenir l'effort de l'infanterie. Le mécontentement gronde. À Moscou, la pénurie se fait sentir, d'autant qu'avec treize millions d'hommes sous les drapeaux, la production agricole a nettement diminué. Une tante de la campagne ravitaille les Diakonov. Gala retombe malade et plonge dans la tristesse.

Paul Eluard en soldat durant la Première Guerre mondiale.

« GARDE TA VIE…
ELLE EST MOI-MÊME. »

Mais elle ne renonce pas à ce projet qui la fait vivre : retrouver Paul et l'épouser au plus vite, puisqu'ils sont tous les deux d'accord. Contre la promesse qu'elle étudiera le français, elle obtient l'autorisation extraordinaire de sa famille de partir pour Paris. Pour être sûre que là-bas on ne l'oublie pas, qu'on l'atte nd, elle bombarde Mme Grindel et Paul de lettres suppliantes. « Chère Madame, je suis peut-être trop naïve, car sans vous connaître parfaitement, je vous demande l'apaisement, le calme dans les moments de mes doutes [2] ! »

Sur le front français cependant, la guerre se durcit. Les appelés sont de plus en plus nombreux. Paul n'est plus malade mais trouve le moyen de se déboîter un genou, ce qui provoque un épanchement de synovie et l'oblige à marcher avec des béquilles. Il traîne dans les dispensaires. À la fin de l'hiver 1916, le voilà finalement infirmier. En février, à la suite de l'offensive contre Verdun, le personnel médical débordé par l'afflux des

---

1. *Œuvres complètes, op. cit.*
2. Dans Jean-Charles Gateau, *Paul Eluard, op. cit.*, p. 53.

Paul Eluard
et ses parents, son père
lui aussi enrôlé pour
la Première Guerre
mondiale.

Lettre de Paul
à Gala, 1914.

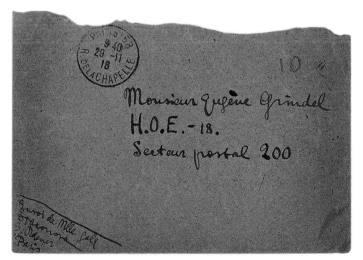

Lettre de Gala
à Paul Eluard,
novembre 1916.

victimes cherche de nouvelles recrues. Paul, qui n'a jamais reçu la moindre formation, va aider aux pansements et à la toilette des blessés. En juin, il est envoyé à Hargicourt, dans la Somme, pour participer à l'installation d'un hôpital d'évacuation militaire, à dix kilomètres des lignes où, le 1er juillet, sera déclenchée une attaque franco-britannique d'une ampleur et d'une violence sans précédent. Elle va durer quatre mois et faire des milliers d'autres morts, de mutilés, de traumatisés, qui transitent par Hargicourt avant d'être transférés dans des hôpitaux spécialisés ou dans les cimetières improvisés à la hâte, à quelques pas du bâtiment. « Les autos arrivent à la queue leu leu », écrit Paul à sa mère.

Sinistre mission pour un poète, lui échoit la corvée funèbre de prévenir les familles des morts. Pour la première fois depuis qu'il a quitté Clavadel, secoué par sa mission, il renoue avec la poésie et écrit *Le Devoir* : vingt poèmes qu'il va ronéoter au bureau de son capitaine, « En vente auprès de Paul-Eugène Grindel, H.O.E. 18. »

> *Vivant dans un village calme*
> *D'où la route part longue et dure*
> *Pour un lieu de sang et de larmes*
> *Nous sommes purs* [3].

C'est son premier recueil écrit loin de Gala.

En février 1916, Clément Grindel a adressé à son fils une ultime recommandation : « Nous parlerons mariage après la guerre. En ce moment c'est impossible. Patientons, mon cher petit garçon. » Mais, dès le mois suivant, la jeune fille force le destin : elle annonce son arrivée à Paris. Paul écrit à sa mère pour lui donner ses instructions. Au mois d'avril, provoquant chez son père une véritable crise de fureur – « Je chie dessus la communion et sur les Jésuites [4] » –, il fait sa première communion : Gala vient encore de marquer un point. Elle pourra se marier à l'église. À Moscou, elle organise le plus difficile : son voyage. Justine, la gouvernante suisse, qui a décidé de regagner son pays, l'accompagnera. En 1916, à partir de la Russie, il est évidemment impossible de traverser l'Allemagne ou de transiter par les pays voisins. Gala ne peut emprunter qu'une voie : par Helsinki (la Finlande, province russe, n'est pas encore troublée par la guerre), les deux femmes rallieront Stockholm (la Suède est pays neutre). De là, Londres, par le nord. Un train les amènera jusqu'à Southampton où Gala prendra un bateau pour Dieppe, puis un train pour Paris. On imagine l'expédition ! Avec le risque de faire naufrage ou de sauter sur les mines allemandes. Mais Gala n'a peur de rien. Elle arrive.

« La jeune fille force le destin : elle annonce son arrivée à Paris. On imagine l'expédition ! Avec le risque de faire naufrage ou de sauter sur les mines allemandes. Mais Gala n'a peur de rien. Elle arrive. »

---

3. Premier poème du *Devoir et l'Inquiétude*, *Œuvres complètes*, *op. cit.*, t. I, p. 19.
4. Dans Jean-Charles Gateau, *Paul Eluard*, *op. cit.*, p. 49.

Pendant ce temps, l'infirmier-scribe Eugène Grindel subit, dans un été torride et orageux, le contrecoup des violents combats de la Somme. « Depuis deux jours, écrit-il à sa mère, nous avons reçu et évacué plus de trois mille blessés. Je fais beaucoup de cartes. Tous ces pauvres hommes, ces troupeaux de blessés, sont couverts d'une carapace de boue et de sang. Des Boches aussi, blessés en nombre, plus misérables encore que les nôtres[5]. » Il adresse aux familles jusqu'à cent cinquante lettres par jour. Il assiste à l'agonie des soldats. La nuit, fossoyeur obligé, il aide à creuser les tombes. « On a honte d'être ici tranquilles, devant ces soldats, les vrais. » Malgré la venue de Gala, il veut aller se battre et entreprend toutes les démarches pour se faire muter. Il ne veut pas être du camp des privilégiés.

Lorsque Gala arrive à Paris, saine et sauve, avec un mince bagage, Mme Grindel l'attend sur le quai de la gare. Eugène à Hargicourt, elle s'installera dans sa chambre, au logis familial. Logis modeste, exigu et sombre, au confort rudimentaire. L'immeuble inspirait déjà au poète la vision d'« une taupe » et d'« une ombre chaude à qui l'écume de mer prescrit des courants d'air purs[6] ». Entre les rares permissions, la vie des deux femmes s'organise. Gala s'inquiète tellement pour son fiancé qu'elle lui écrit tous les jours, parfois plusieurs lettres par jour : « Moi je ne peux pas vivre sans toi aussi je le sais parfaitement je ne vivrai sans toi. C'est pour cela je te recommande de garder ta vie. La mienne est toujours avec la tienne inséparablement » (le 25 novembre 1916). « Fais bien les pansements tu es très doux très bon et capable, tu peux rendre service aux malheureux mieux à ta place que dans les tranchées mauvaises. N'agis pas contre moi » (seconde lettre du 25). « Si tu veux risque ma vie, mais pas la tienne car pour moi mourir est moins sinistre (je ne suis pas tragique, je dis simplement la vérité) que de vivre sans toi » (le 26 novembre). Plus loin, dans la même lettre : « Fais ton possible pour être remis en auxiliaire et jamais aller au feu, dans les tranchées. Je t'assure que encore une année et la guerre sera finie. Et bien il faut employer toutes les forces pour pouvoir sortir vivants de ce cauchemar. Et après tu ne regretteras jamais ta vie passée, jamais, je te le promets, car notre vie sera glorieuse et

La rue Ordener à Paris, où habitent les Grindel, en 1916.

---

5. *Lettres de jeunesse*, Seghers, 1962, p. 125.
6. *Œuvres complètes*, *op. cit.*, t. I, p. 372.

magnifique. » Plus loin encore : « Garde-toi, garde ta vie qui est plus que précieuse, plus que chère, elle est tout pour moi. Elle est moi-même, je me perds avec toi. »

Le 14 décembre, Paul est enfin majeur. Il peut donc annoncer à ses parents qu'il va se marier, et vite. À eux d'obtempérer : « Je veux t'assurer que votre consentement me sera infiniment précieux. Mais, dans l'intérêt de notre existence à tous, rien ne saurait modifier ma volonté[7]. » « Je tiens à ce que Gala porte mon nom, soit ma femme, avant ce temps qui peut-être s'appellerait "trop tard" ou serait rendu impossible à cause de grandes difficultés qui reporteraient notre mariage à la fin de la guerre. » Cependant, il vient d'être muté dans l'infanterie et attend son ordre de route. La maladie, écrit-il, « ce serait de la lâcheté[8] ». Gala supplie : « Il faut que tu comprends une fois pour toujours je n'ai rien de moi, à moi tu me possédé toute entièrement. Et si tu m'aime tu garderas précieusement ta vie car sans toi je serai comme une enveloppe vide. Tu as ma vie sur toi. »

UN MIROIR À FACETTES

L'un des traits essentiels de Gala est la ténacité. Les lettres de 1916, simples et naïves, révèlent une jeune fille assurée, à la fois réaliste et rêveuse, qui ne laisse encore que soupçonner les abysses de sa personnalité. « Je serai propre coquette et je lirai beaucoup beaucoup » : tel est le programme, à la veille de son mariage.

Malgré la guerre et ses petits moyens, à peine arrivée à Paris, elle court les magasins. Son fiancé est à quelques kilomètres des pires combats qui se livrent sur le sol français, elle lui écrit qu'elle s'achète du parfum. Elle soigne son corps et se pare, n'hésitant pas à se ruiner en colifichets. Comme elle sait coudre, elle s'invente des robes et des chapeaux. Un jour, elle épingle des échantillons de tissus à l'une de ses lettres et dessine les toilettes auxquelles elle travaille. « Ne crois pas que je suis coquette vicieusement, vraiment je te le dis. Crois-le-moi. C'est uniquement pour toi. » Elle adore le luxe – notion étrangère à la famille Grindel, demeurée de mœurs modestes en dépit de la réussite immobilière du père. Mme Grindel l'a surnommée « la princesse au petit pois », parce qu'elle ne fait rien d'autre à la maison que s'occuper d'elle, lire, coudre ou écrire. Jamais elle n'abîme ses

Lettre de Gala à Paul, à laquelle elle a épinglé des échantillons de tissus.

Gala dans l'appartement des Grindel.

7. *Lettres de jeunesse, op. cit.*, p. 132-133.
8. *Lettres à Gala*, Gallimard, 1984, édition établie et annotée par Pierre Dreyfus, p. 379.

précieuses mains aux travaux du ménage. « Je deteste le travail du ménagé, il ne rapporte rien et il use les forces les pauvres petits forces de petites femmes. Il est quotidien il se répette chaque instant mais il ne rapporte comme le travail d'un homme avec lequel on peut acheter les livres. » Lorsque la bonne s'absente, elle sait toutefois retrousser ses manches. Maniaque, elle ne supporte sur elle ou autour d'elle aucun détail qui ne soit pas impeccable.

Paul absent, elle explore sa bibliothèque et lui rend fidèlement compte de ses lectures, qui sont éclectiques et toujours passionnées. Elle est assez fière de sa culture et son ton est facilement péremptoire. Jean Moréas ? « Un peu vieux et ennuyeux. » Émile Verhaeren ? « Pas à admirer, certainement il y a mieux que lui. » Hugues Rebell ? « Trop superficiel et prétentieux. » André Salmon ? « Plus intelligent que doué. » Elle est généralement sans nuances et elle a la dent dure. Imprévisible, souvent hardie, parfois saugrenue, elle est toujours très personnelle. Paul a dû plus d'une fois s'amuser devant tant de spontanéité. Elle se charge à présent des achats de livres pour Paul, qui ne cesse d'envoyer des listes ; une tâche dont elle s'acquitte avec conscience, non sans s'être au préalable plongée dans les ouvrages. Ils partagent toujours leurs lectures.

Gala veut qu'on enchante pour elle le cours de la vie. Pour cela, elle a besoin de son compagnon. L'ennemi de Gala est le quotidien, elle déteste « la médiocrité », qu'elle nomme ironiquement « le petit bourgeois ». Elle a la conviction que sa vie – leur vie – ne sera pas conventionnelle.

DIEU,
LE SEXE ET L'AMOUR

Elle a une confiance absolue dans le destin. Un autre nom pour Dieu. « Je crois vraiment profondément. C'est pour cela (c'est la seule raison) pourquoi je veux absolument me marier à l'Église », écrit-elle le 22 décembre. « Le commancement de notre vie d'ensemble c'est un moment très grave pour moi. Je veux que Dieu nous bénisse notre amour. » « Il ne faut rien faire avant d'être beni par l'eglise par Dieu. » Pour respecter ce vœu, elle se convertit au catholicisme. À peine craint-elle de commettre un péché : « Pour moi, affirme-t-elle, c'est égal d'etre catholique ou orthodoxe pourvu que je reste croyante. Je crois que Dieu est partout dans toutes les religions. » « Dieu d'un sauvage rouge ou noir », « Mon Dieu, c'est toujours le Seul, Unique Dieu de tous les mondes ». La foi de Gala est une foi vivante, et l'un des fondements de sa personnalité.

À Paul, elle voue la même ferveur, la même confiance qu'aux pouvoirs célestes. « Je te baise et je te beni », signe-t-elle inlassablement. Le sentiment qu'elle lui porte est à la fois mystique et sensuel. « Ne pense

« "Je serai propre coquette et je lirai beaucoup beaucoup" : tel est le programme, à la veille de son mariage. »

Portrait de Gala
chez les Grindel.

pas jamais de mal de nos caresses passées, écrit-elle à Paul. Si je fais *tout* avec toi – des choses etranges – ce que je suis certaine que avec toi, parce que je t'aime, tout est pur, tout est beau, tout est juste. » Elle ne croit pas du tout au péché de la chair. Si elle préserve sa virginité, elle dit posséder « des qualités putainesques ». Paul manifeste au contraire dans ce domaine un mystérieux sentiment de culpabilité. À sa mère, il écrit : « Gala connaît tout de mon passé et sache qu'elle luttera avec moi. » De quels « égarements » a-t-il peur ? On ne le sait pas[9]. Gala, elle, défend ses caresses. Elles sont « le meilleur le plus saint le plus sacré de moi ». L'amour ne peut être qu'un don total, corps et « âââme ». Et il la transfigure : « Avec toi je me sens forte, sûre de moi et meme de mes pensées de mes actes. Séparee de toi je deviens une chose souffrante. Je perds mon âââââââme clair et la place j'ai un trou noir ou trouble. »

Émigrée, nouvelle venue à Paris, en dehors du couple, sa solitude est totale. Mais, contrairement à la plupart des jeunes filles de son âge, elle l'apprécie, comme le délicieux cocon de ses rêves. « Je n'aurai pas des amis ni russes ni français, assure-t-elle. Je n'aime pas avoir des amis. » Égocentrique, elle cherche avant tout à plaider la seule cause qui lui importe : retenir Paul près d'elle. « Garde toi pour *nous*. »

UNE MARIÉE
EN ROBE VERTE

Le 21 février 1917, Gala Dimitrievna Diakonova, vingt-deux ans, épouse Eugène-Émile-Paul Grindel, vingt et un ans, à la mairie du 18e arrondissement. La bénédiction nuptiale leur est donnée le même jour, en l'église Saint-Denis-de-la-Chapelle. Un prêtre les bénit simplement, sans célébrer de messe, devant l'assistance réduite que forment les

---

9. C'est un des mystères de la biographie d'Eluard : il laisse entendre à sa mère et à sa fiancée qu'il fut, très jeune, coupable sexuellement. On ne sait de quoi. Ainsi Gala, le 26 novembre (*Lettres à Gala*) : « Promets-moi de ne jamais penser à ce que tu as fait. Tu n'as RIEN RIEN fait, entends-tu. Je le dis sincèrement. Croie-le moi. »

Gala et Paul Eluard
le jour de leur mariage,
le 21 février 1917.

parents de Paul et les quatre témoins. Paul a souhaité un mariage sobre, dans la plus stricte intimité. La mariée n'est pas en blanc, elle porte une robe de taffetas sombre, d'un vert qui tire sur le noir, avec des dentelles blanches. Dans trois jours son jeune époux va repartir pour la guerre, en première ligne. Le vert, c'est la couleur de la chance et de l'espérance. C'est aussi la couleur des yeux des sirènes.

M. et Mme Grindel donnent soixante-quinze francs[10] par mois au jeune couple et la mère de Gala envoie à sa fille une allocation de cinquante francs. La somme sera vite dépensée en livres, en cadeaux et bientôt en voyages. Le 23 février, Paul rejoint son régiment. Gala s'apprête à le suivre où qu'il aille : elle n'a pas traversé l'Europe pour venir lire et tricoter dans l'appartement de ses beaux-parents.

Moins de quinze jours après la noce éclate en Russie la « révolution de Février ». Le 15 mars, la nouvelle parvient à Gala, très inquiète pour les siens : Nicolas II abdique. Elle assiste de loin aux tempêtes qui ravagent son pays ainsi qu'aux défaites militaires qui se succèdent. Les nouvelles sont mauvaises, la plus grande incertitude plane sur l'avenir de la Russie. Elle a le sentiment d'être plus que jamais coupée de ses racines, à l'écart d'une Histoire qui se déroule sans elle.

Paul, après deux mois de tranchées, est de nouveau malade. Sa santé n'a pas résisté : « Même les plus forts tombaient, écrit-il. Nous avons avancé de cinquante kilomètres et sans ravitaillement, trois jours sans pain ni vin[11]. » Dès le 20 mars, il est à l'hôpital d'Amiens avec un début de pleurésie. Il réclame la présence de Gala qui bien sûr accourt, s'installe à l'hôtel et passe près de lui de longs après-midi oisifs, à le veiller et le regarder écrire. Une permission de convalescence leur offre un court voyage de noces ; à Lectoure, dans le Gers, le jeune couple oublie un peu la guerre. « Nous sommes si tranquilles ici, et si gâtés[12] », écrit Paul à ses parents. De retour au régiment, il est à nouveau évacué, pour une bronchite cette fois, vers l'hôpital de Paris-Plage, d'où il aperçoit les sapins et la mer. Gala le rejoint pour une dizaine de jours. Puis le soldat Grindel finit par être reclassé dans le service auxiliaire. En juillet, il est affecté au fort de Montluc, à Lyon, à la comptabilité des farines. Gala vient s'établir à ses côtés : elle loue une chambre et dîne tous les soirs avec son petit mari. Avant les événements de Russie et l'issue politique du conflit mondial, le premier souci de Gala est la santé de Paul, dont dépend si étroitement son propre bonheur. À Paris, les parents de Paul trouvent le jeune couple insouciant, trop dépensier, et ne cessent de rappeler Gala rue Ordener.

Pendant tout l'été et le début de l'automne 1917, Paul écrit. Le recueil de poèmes, intitulé *Le Devoir et l'Inquiétude*, il l'a signé

« Le 23 février, Paul rejoint son régiment. Gala s'apprête à le rejoindre où qu'il aille : elle n'a pas traversé l'Europe pour venir lire et tricoter dans l'appartement de ses beaux-parents. »

---

10. Environ deux cent cinquante euros.
11. *Lettres à Gala, op. cit.*, p. 145.
12. *Ibid.*, p. 147.

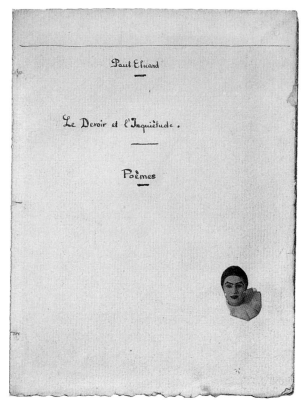

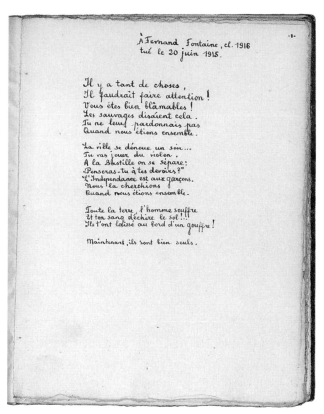

Le Devoir
et l'Inquiétude d'Eluard,
manuscrit par Gala
pour envoi à l'éditeur.

« Le recueil de poèmes,
intitulé *Le Devoir*
et l'Inquiétude, il l'a signé
Paul Eluard. Gonon
l'a édité à deux cents
exemplaires. Gala, fidèle
à son premier rôle,
a assisté à sa gestation. »

Paul Eluard. Gonon l'a édité à deux cents exemplaires. Gala, fidèle à son premier rôle, a assisté à sa gestation.

> *Le devoir et l'inquiétude*
>   *Partagent ma vie rude.*
> *(C'est une grande peine*
>   *De vous l'avouer.)* [13]

Alors que Kerenski proclame la république en Russie, le 14 septembre, Gala pense à l'avenir qui l'attend en France : elle est enceinte et doit accoucher au printemps.

> *La vie entièrement conquise, on pourrait s'en aller chez soi.*
> *Les blés sont bien mûrs et la plaine immense.*
> *Sûrs d'être heureux pour toujours on n'aurait plus de soucis.*
> *Ma plaine est immense et j'y bois l'oubli...*
> *Mes yeux sont mouillés et le soleil danse* [14].

UN BÉBÉ
POUR L'ARMISTICE

À l'automne 1917, Gala a dû rentrer à Paris où elle mène, entre les parents et la grand-mère paternelle de Paul, une existence confite, sage et ennuyeuse. Elle occupe sa chambre, au troisième étage, et donne des leçons de russe à de rares élèves du quartier. Paul est à Lyon, la laissant seule pour de longs mois.

Malgré le débarquement des troupes américaines sur le sol français, au printemps, l'effort de guerre se poursuit, dans un climat de lassitude générale et de mutineries. En Russie, la révolution d'Octobre a porté les bolcheviks au pouvoir. Un conseil des commissaires du peuple, présidé par Lénine, avec Rykov, Milioutine, Trotski, Lounatcharski, personnages dont Gala entend parler pour la première fois, a aboli la propriété foncière et adopté un premier décret en faveur de la paix. C'est au mois de mars 1918 que sera signé le traité de Brest-Litovsk. La Russie se retire de la guerre. Quarante divisions austro-allemandes, soit environ sept cent mille hommes, se replient du front oriental pour apporter un renfort à leurs troupes en France. Dès le mois de mars, les Alliés reculent, cédant du terrain à un ennemi qui progresse dangereusement en direction de la capitale. Depuis la fin de 1917, les Allemands bombardent Paris. Les Grindel ont dû évacuer la grand-mère, impotente,

---

13. *Œuvres complètes*, *op. cit.*, t. I, p. 21.
14. « Au but », *Œuvres complètes*, *op. cit.*, t. I, p. 27.

dans une province moins exposée. La jeune épouse doit rejoindre le reste de la famille, dès le début de l'année 1918, à la campagne à Bray-et-Lû. Le village, où Paul passait ses vacances, offre le bon lait, le beurre et la viande qui manquaient à Gala, mais la rapproche périlleusement du front. Une offensive allemande en Picardie confirme dès le mois de mars l'avance des troupes ennemies ; elles menacent d'atteindre ce petit havre, sur le chemin de Paris. L'ombre de la défaite plane sur tout le pays.

Le 11 mai 1918 vient au monde une petite Cécile ; dans la chambre de Gala, quatre générations de femmes : autour du bébé, Gala (vingt-quatre ans) la mère, Jeanne-Marie Grindel (quarante-trois ans) la grand-mère et Marie-Eugénie Grindel (soixante-dix-sept ans) l'arrière-grand-mère. Le père, en permission, a choisi le prénom de son enfant. Cécile est née à la maison, sans difficultés particulières.

Paul-Eugène Grindel, qui vient de subir d'autres contrôles médicaux et d'être à nouveau déclaré inapte pour le service actif à cause d'une « bronchite des sommets [16] », peut alors demander sa mutation à un poste rapproché de sa famille. Il est envoyé à vingt kilomètres de Bray-et-Lû, où il continue son office de « riz-pain-sel » aux magasins militaires. Il a beaucoup de temps libre et, avec Gala, décide de laisser le bébé en nourrice à sa grand-mère, afin que la jeune maman puisse revenir s'installer à Paris. Cécile à peine sevrée, Gala court rejoindre Paul.

La petite fille demeurera de longs mois, jusqu'après la fin de la guerre, en pension chez sa tante, au bon air et à l'abri des restrictions qui frappent les grandes villes. Sa mère lui rend visite irrégulièrement. Lorsque l'armistice est enfin signé à Rethondes, le 11 novembre, elle doit encore patienter, les soldats ne seront que lentement démobilisés. Paul s'est fait l'écho de l'usure et du désespoir de tous les malheureux dont il aura un temps partagé le sort en publiant en juillet 1918, sur une feuille de papier bleu pliée en deux, onze petits *Poèmes pour la paix* [17] : « Monde ébloui, monde étourdi », a-t-il écrit en exergue. Ces poèmes chantent la fraîcheur d'un renouveau.

> *Splendide, la poitrine cambrée légèrement.*
> *Sainte ma femme, tu es à moi bien mieux qu'au temps*
> *Où avec lui, et lui, et lui, et lui, et lui,*
> *Je tenais un fusil, un bidon – notre vie !*

Paul a envoyé ses poèmes à quelques personnalités du monde des lettres, notamment à Apollinaire, à André Spire et à Jean Paulhan. Gala

---

15. Dans *Poèmes de jeunesse*, éd. Scheler et Clavreuil, 1978, p. 28.

16. Contrairement à la légende, Paul Eluard n'a jamais été gazé. Évacué le 10 mai 1917, il sera classé et reclassé à plusieurs reprises au service auxiliaire, pour « bronchite bacillaire » ou « bronchite des sommets », en juin, octobre, décembre 1917, et en février 1918.

17. Dans le tome I des *Œuvres complètes*, *op. cit.*, p. 31 à 33.

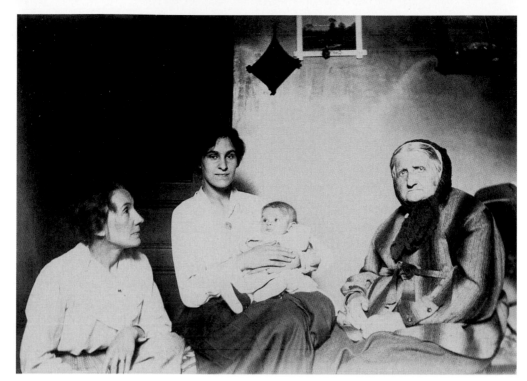

De gauche à droite :
Jeanne-Marie Grindel,
Gala, Cécile et
Marie-Eugénie Grindel,
1918.

« Petit enfant,
lourd comme tout
sur mes genoux,
écoute :
je t'aime [15]. »

Gala et sa fille Cécile,
1918.

l'a aidé à faire les envois. Peu de gens ont répondu, deux revues ont cependant publié chacune un poème ou deux: *Les Cahiers idéalistes français* et *Les Trois Roses*.

> *J'ai eu longtemps un visage inutile*
> *Mais maintenant*
> *J'ai un visage pour être aimé,*
> *J'ai un visage pour être heureux.*

C'est ce même été, dans la nuit du 16 au 17 juillet, alors que paraissent les *Poèmes pour la paix*, que la famille impériale – le tsar, sa femme et leurs quatre enfants – est massacrée à Iekaterinbourg. Pour Gala, en général indifférente à la politique et superbement insensible à tout ce qui ne concerne pas directement son destin, cet acte de barbarie la marque profondément. Tandis que toute sa famille continue de vivre à Moscou, d'où les nouvelles ne lui parviennent plus, elle prend définitivement en grippe les révolutionnaires, coupables de trop de crimes. Comme son amie Marina Tsvétaïéva, qui mène alors avec ses deux petites filles une existence des plus misérables, elle se met à haïr les messagers d'un idéal qui n'apporte que la souffrance. « Où sont les cygnes ? écrit Marina en secret. – Les cygnes sont partis. – Et les corbeaux ? – Les corbeaux sont restés [18]. » Pour Gala, et c'est définitif, tous les révolutionnaires sont et seront toujours des corbeaux.

Paul Eluard ne sera démobilisé qu'en mai 1919, le jour même du premier anniversaire de sa fille. « La guerre s'achève, écrit-il à son ami et éditeur Gonon, le 9 novembre 1918. Nous allons lutter pour le bonheur après avoir lutté pour la Vie [19]. »

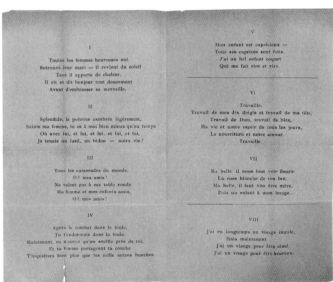

Poèmes pour la paix
de Paul Eluard, publiés
sur une feuille
de papier bleue pliée
en quatre.

---

18. *Le Camp des cygnes.*
19. *Lettres de jeunesse, op. cit.,* p. 181.

Paul Eluard.

« Paul a envoyé
ses poèmes à quelques
personnalités du monde
des lettres, notamment
à Apollinaire, à André
Spire et à Jean Paulhan.
Gala l'a aidé à faire
les envois. »

L'ACCOMPAGNATRICE

L'APPEL DE LA POÉSIE

C'est Jean Paulhan qui va leur ouvrir la porte sur de plus vastes horizons. Ce jeune professeur de malgache s'est fait connaître avant la guerre pour sa traduction commentée de poèmes populaires. Mobilisé dans les zouaves dès 1914, blessé au bois de Saint-Mard et libéré au printemps 1919, il a publié en pleine guerre un roman où un jeune homme intègre et plein de bonne volonté fait l'apprentissage de la cruauté, de l'injustice et de l'horreur : *Le Guerrier appliqué*. Eluard est à la fois intéressé par les recherches linguistiques de Paulhan et ému par le ton très personnel d'un roman qui raconte ce que lui-même a vécu. Mais il est surtout impressionné par le personnage, qui a déjà un statut au royaume des lettres. Lui ayant envoyé ses *Poèmes pour la paix*, il obtient en réponse [1], avec un gage d'admiration et quelques conseils de lecture (Paul Valéry, Knut Hamsun), une chaleureuse introduction auprès de jeunes gens qui viennent de lancer une nouvelle revue, *Littérature*.

Jean Paulhan
en zouave en 1914.

Avant même la démobilisation générale, les romanciers et les poètes reprennent de plus belle leurs activités. De *Nord-Sud* à *Sic* en passant par l'illustre *Nouvelle Revue française*, qui reparaît alors, les revues pullulent. Avec Gala, Paul les dévore ; ils suivent, à côté des signatures déjà célèbres, l'éclosion de cent talents nouveaux. Mais rue Ordener, une fois passée l'euphorie des retrouvailles et du retour à la paix, l'existence est plutôt grise. Paul descend le matin au bureau, où il rejoint son père. Les affaires de Clément Grindel ont repris une formidable expansion, la famille gagne de l'argent, beaucoup d'argent. Paul se distrait en cherchant des noms de rue pour les lotissements neufs : rue Baudelaire, rue Jarry à Aubervilliers, rue Apollinaire, rue Nerval à Saint-Denis [2]. Quatre étages au-dessus de lui, Gala s'ennuie ferme. Toute la journée, elle attend Paul, lunatique, impatiente, dépensière, pas du tout maternelle. Une existence calme, confortable, enveloppée de tendresse, à l'évidence, ne lui suffit pas. La mélancolie est sa nature profonde. Le mariage ne l'a pas transformée : elle est souvent sombre, inquiète, voire angoissée. Elle continue de souffrir de maladies plus ou moins psychosomatiques.

Incapable de dominer son inquiétude et ses accès de mauvaise humeur, elle fuit souvent la rue Ordener. Elle va acheter des livres, des

---

1. Jean Paulhan, *Choix de lettres* (I, 1917-1936), Gallimard, 1986 ; y figurent sept lettres à Eluard (1919-1921).
2. Ces rues existent toujours.

p. 52
Le groupe des
surréalistes en 1923.

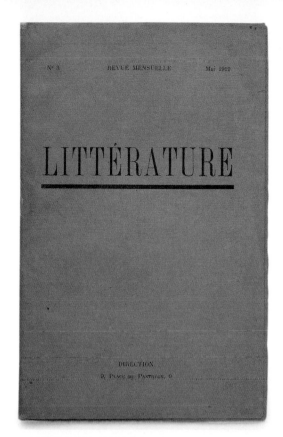

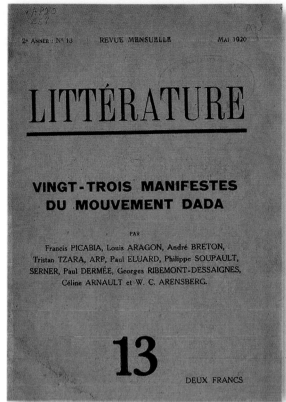

En haut à gauche :
Couverture du numéro
3 de *Littérature*,
mai 1919.

En haut à droite :
Couverture
du numéro 13 de
Littérature
dédié aux
vingt-trois manifestes
du mouvement Dada,
mai 1920.

En bas à gauche :
Couverture du
numéro 2 de *Littérature
nouvelle série*,
illustrée par Francis
Picabia, 1922.

En bas à droite :
Illustration de Francis
Picabia pour la
couverture du
numéro 4 de *Littérature
nouvelle série*, 1922.

accessoires de toilette ou simplement regarder les vitrines, chiner chez les brocanteurs. Sa passion pour l'art – à l'exception de la musique[3] – n'est pas un snobisme mais un goût profond : « Notre tranquillité n'est pas la tranquillité petite-bourgeoise, écrit-elle à Paul, elle est la force et la beauté[4]. » Aussi suit-elle avec beaucoup d'attention le travail de Paul. Elle admire ce qu'il écrit et encourage toutes ses démarches pour se faire connaître. Jean Paulhan va lier leurs deux vies à un cercle de poètes, ce sera un grand pas vers son rêve, contre le morne ennui d'être une femme au foyer.

LES TROIS
MOUSQUETAIRES

À peine plus jeunes que Paul, nés respectivement en février 1896, août et octobre 1897, les trois jeunes gens de la revue *Littérature* se pré-nomment André, Philippe et Louis. Tous les trois bacheliers et étudiants, rescapés de la Grande Guerre et encore sous les drapeaux. À vingt-deux et vingt-trois ans, ils sont encore célibataires. Ils n'ont pas de métier, pas de situation fixe. Jeunes rebelles, fati-gués de trop de discipline et de trop de sacrifices, ils ont décidé de ne pas se couler au moule d'une société qui les a, déjà, pro-fondément déçus.

André Breton a une tête de lion ; de haute taille, ayant des gestes lents et lourds, il en impose physiquement. Avec son visage sombre où brillent des yeux noirs, sa maigreur, ses gestes nerveux et cependant gracieux de félin mis en cage, Philippe Soupault évoque plutôt un chat sauvage. C'est le plus griffu ; des trois, le plus colérique. Le plus jeune, c'est Louis Aragon. Volontiers charmeur, avec son regard velouté, ses manières déli-cates, telle une biche entre le lion et le chat. Il est aussi le plus inspiré : il est inventif sans effort et percutant avec brio.

Par ses origines, André Breton a plus d'un point commun avec Paul. D'une famille provinciale, il a grandi en banlieue parisienne. Son père, un ancien gendarme, y a été employé comptable ; sa mère, sans profession, a connu la pauvreté. Enfin, André est fils unique, victime, pourrait-on dire, de l'excès d'ambition que ses parents ont reporté sur lui. Les ressemblances s'arrêtent là. André a poursuivi ses études jusqu'à la classe de philoso-phie. Il a passé son baccalauréat l'année où Paul présentait son brevet. La guerre l'a surpris, diplômé du PCN (l'année préparatoire aux études

André Breton en 1918.

3. Si elle aime la littérature et tous les arts plastiques, Gala n'est absolument pas mélomane.
4. *Lettres à Gala, op. cit.*, p. 395 (19 décembre 1916).

En haut : Philippe
Soupault photographié
par Man Ray.

En bas :
Louis Aragon en soldat.

médicales). Comme beaucoup d'étudiants en médecine, il a été affecté aux infirmeries et aux hôpitaux de l'armée où il a pu continuer, dans d'atroces conditions, d'apprendre son futur métier. En mars 1919, Breton est en plein conflit avec ses parents. Ces derniers versent une pension mensuelle à leur fils pour lui permettre d'achever ses études à Paris ; la poésie est, entre eux, un sujet tabou.

Philippe Soupault, lui, est par ses origines un grand bourgeois. Né à Chaville, apparenté aux Renault des automobiles, il a grandi dans des appartements cossus et de vastes propriétés de famille. Il habite avec sa mère en face du jardin des Tuileries. Comme il a de l'humour, il n'essaie pas de passer pour ce qu'il n'est pas et rappelle volontiers qu'en 1914 il a lu l'affiche de mobilisation sur un mur de l'hôtel Crillon, près de chez Maxim's. Orphelin de père à sept ans, il a ce qu'il appelle « trop de famille » : il n'aime pas en parler. Élève fantaisiste, il a été inscrit à Condorcet où, à l'étonnement général, il a obtenu en 1915 son baccalauréat. Tandis que ses frères aînés étaient déjà sous les drapeaux, il s'est inscrit à la faculté de droit. Sa famille lui fait miroiter des postes. Mais il n'a qu'une obsession : écrire. Il s'est lié d'amitié avec Breton au café de Flore, où, convoqués ensemble par Apollinaire, ils avaient été présentés. C'était l'année de Verdun, Breton était en permission, Soupault en congé de convalescence.

Enfin, Louis Aragon a grandi dans la pension de famille que tient sa mère, avenue Carnot, près de l'Étoile. Il y a vécu modestement, dans les ennuis d'argent, en marge du beau monde. Il porte un secret qu'il n'a encore avoué à personne [5]. Il vient lui-même tout juste de l'apprendre mais celle qu'il a prise si longtemps pour sa grande sœur est en réalité sa mère et celle qu'il a prise pour sa mère est en fait sa grand-mère. Louis Aragon est un fils naturel. Son père, qui se fait passer pour son parrain, est le préfet de police Louis Andrieux. Élevé dans les meilleures institutions religieuses de Neuilly, il a passé son bac en 1914. En 1917, il s'est inscrit à la faculté de médecine. Et c'est ainsi qu'il a rencontré Breton : externes au Val-de-Grâce, ils se sont connus au « quatrième fiévreux », c'est-à-dire au quatrième étage de l'hôpital militaire, consacré au service des fous.

Lorsque Paul Eluard se présente à l'hôtel des Grands Hommes, à la mi-mars 1919, il est encore en uniforme, et c'est aux yeux des trois autres la meilleure des recommandations. Tous sont encore soldats : Louis Aragon s'apprête à repartir pour l'Allemagne occupée, André Breton

---

5. Pierre Daix a pour la première fois éclairé ce trucage dans sa biographie de Louis Aragon : *Aragon, une vie à changer*, Le Seuil, 1975.

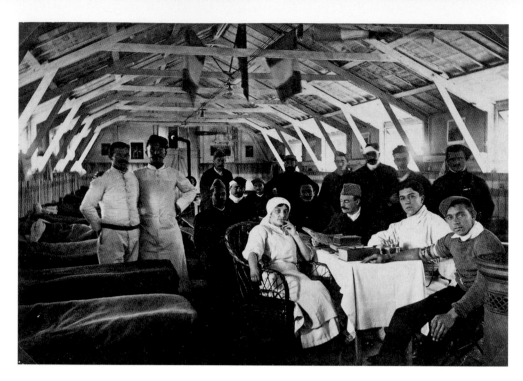

André Breton
pendant son service
militaire à Saint-Dizier,
1916.

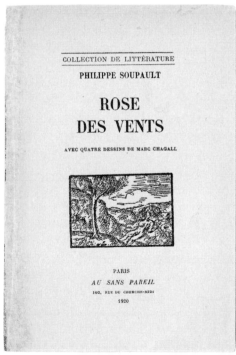

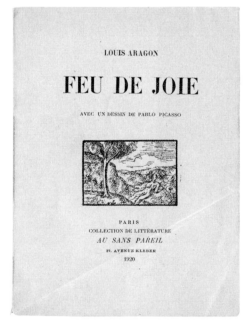

Recueils de poèmes
de Philippe Soupault
et Louis Aragon illustrés
par Marc Chagall
et Pablo Picasso,
publiés en 1920 au Sans
pareil.

continue d'étudier la médecine militaire et Philippe Soupault est comme Paul à l'administration des armées. Les trois poètes ont beau honnir la guerre, ils n'auraient pas aimé accueillir parmi eux un de ces Français de l'arrière, venus applaudir en 1917 *Parade*. Ils honnissent ce ballet et tiennent Jean Cocteau pour un couard. La guerre, tous trois l'ont prise de plein fouet. André a passé deux mois en première ligne, brancardier en pleine offensive de la Meuse. De nuit, avec sa « chignole », il partait récupérer les soldats ou ce qu'il en restait. Il triait les vivants et les morts, il donnait les premiers soins. Louis est passé pour mort : à Couvrelles, sur le front de Champagne, lui aussi brancardier, il a été enterré trois fois sous les bombardements. Il a connu les combats de tranchées et servi dans les chars. Il est décoré de la croix de guerre. Mobilisé dans un régiment de cuirassiers, Philippe souffre depuis deux ans d'une lésion aux poumons. Les médecins ne donnent pas cher de sa peau. Il a dû être hospitalisé à plusieurs reprises et son « presque jumeau », René Deschamps, a été tué en 1917.

C'est ensemble qu'ils ont imaginé et mis au point *Littérature*, une revue destinée à accueillir leurs poèmes et ceux des auteurs qu'ils aiment. Philippe Soupault finance l'impression avec une part de l'héritage paternel. Et c'est Paul Valéry[6], l'auteur de *La Jeune Parque*, qui en a trouvé le titre. Il faut, expliquent-ils, le comprendre à rebours, dans le sens de Verlaine : « Et tout le reste est littérature. » La chambre d'André Breton est exiguë, au fond d'un couloir sordide. Paul Eluard, timide et rougissant[7], y fait son entrée. Il a apporté avec lui, écrits à la main sur des feuillets épars, roses et verts, ses *Poèmes pour la paix*, ainsi qu'un cahier manuscrit au titre singulier, *Les Animaux et leurs hommes, les hommes et leurs animaux*, dont il lira des extraits. « Nous n'étions encore que des garnements qui promettent… », écrira un jour André Breton en se souvenant de ce 19 mars 1919. Ses hôtes ont aimé son style et choisi d'un commun accord, pour le troisième numéro de *Littérature*, le poème « Vache » :

> *On ne mène pas la vache*
> *À la verdure rase et sèche,*
> *À la verdure sans caresses.*
>
> *L'herbe qui la reçoit*
> *Doit être douce comme un fil de soie,*
> *Un fil de soie doux comme un fil de lait*[8].

---

6. André Breton, depuis l'âge de seize ans, correspond avec Paul Valéry, qu'il considère comme un poète phare et qui lui donne, tel un père, de nombreux conseils en « littérature ».
7. D'après Philippe Soupault, *Mémoires de l'oubli, 1914-1923*, Lachenal et Ritter, 1981, p. 98-99.
8. *Œuvres complètes, op. cit.*, t. I, p. 40.

Gala, restée à la maison, n'a pas assisté à cet entretien d'hommes. Paul apporte le soir à sa femme un peu de cet air frais, nouveau, qui souffle quelque part sur Paris.

ILS... ET ELLE

Une fois rendus armes et uniformes, le devoir est derrière eux. Tous les trois – désormais tous les quatre, avec pour spectatrice Gala – ont décidé de sortir du rang. À la société qui voudrait les mettre au pas et faire d'eux de braves, d'utiles citoyens, ils opposent d'abord une résistance douce, la bohème. À l'université ou au bureau, ils sont souvent absents sous des prétextes diffus. Ils passent leurs après-midi à écrire des vers, leurs soirées à se les lire. On les voit déambuler sur les quais de la Seine, errer du Boul' Mich à Montparnasse, se perdre dans le labyrinthe des impasses du quartier de l'Opéra. Parfois aussi ils vont au cinéma. Ils ont vu plusieurs fois *Les Vampires* de Louis Feuillade, à cause de l'actrice Musidora : libre, perverse, dangereuse, elle les a fascinés. Ils fréquentent une librairie du Quartier latin, justement nommée La Maison des Amis des Livres. La libraire, Adrienne Monnier, toujours vêtue de longues robes grises, les laisse consulter des ouvrages au hasard et les lire parfois sur place. Chez elle, ils ont pu rencontrer des écrivains d'une autre génération, qui y tiennent salon : Valéry Larbaud, André Gide ou Léon-Paul Fargue. Adrienne Monnier a bien voulu prendre en dépôt des exemplaires de *Littérature*, et en fait généreusement la publicité aux badauds qui pénètrent dans son antre. C'est chez elle que Soupault a déniché, en 1917, *Les Chants de Maldoror*, une épopée en prose, chef-d'œuvre d'Isidore Ducasse, comte de Lautréamont [9]. Ensemble, à la lueur des réverbères à gaz, ils méditent ce sulfureux conseil du chant V, qu'Eluard récitera le soir à Gala : « Heureux celui qui dort paisiblement dans un lit de plumes arrachées à la poitrine de l'eider, sans remarquer qu'il se trahit lui-même. Voilà trente ans que je n'ai pas dormi... » Passionnés, fiévreux, à la recherche d'un idéal inédit, ils viennent de se trouver un autre phare : Arthur Rimbaud. Rimbaud leur envoie des messages, des « cris rouges », dit Aragon, et, parmi eux, « Changer la vie » est celui qu'ils retiennent.

Philippe, avec sa rage, est pour longtemps encore fonctionnaire. Il vient d'épouser une jeune fille qui ne ressemble pas vraiment à Musidora, et d'accepter un emploi définitif au ministère des Travaux

Adrienne Monnier devant sa librairie La Maison des Amis des Livres, rue de l'Odéon à Paris.

---

9. 1846-1870.

publics – « Il fallait bien vivre [10] », dira-t-il. André a fini par rompre avec ses parents. À l'ultimatum que lui a lancé sa mère, il a refusé de donner une réponse claire. Ils lui ont coupé les vivres. Il a été obligé de se trouver un emploi et, grâce à Paul Valéry, il sert un temps de secrétaire à Marcel Proust. Le romancier, qui patauge lui-même dans les corrections d'un manuscrit colossal où André, plutôt méthodique, a du mal à se frayer un chemin, dénonce son peu d'efficacité ! Il se voit dès lors affecté à la lecture des épreuves de *La Nouvelle Revue française*, dont la parution a repris. Peine perdue : André Breton continue de bâiller. À la faculté de médecine, les grands pontes promettent à Louis Aragon, décidément doué, le plus brillant avenir parmi eux. Il a des facilités et une puissance de travail qu'il ne songe pas à exploiter dans cette voie. Il est alors tout à la passion d'*Anicet*. Paul Eluard est en apparence le plus rangé. Il n'échappe que sournoisement, le soir ou le dimanche, à la très forte emprise familiale.

Les moments intenses de sa vie, il les passe ailleurs qu'au bureau ou en famille : avec Gala et ses nouveaux amis, l'une n'excluant pas les autres. Ils se prêtent leurs livres. Et c'est ainsi que *Maldoror* ne quittera plus le chevet de Gala. L'après-midi, au lieu de s'occuper de Cécile, elle se met au lit pour lire tranquillement. Sa santé est sa meilleure excuse : un alibi pour fuir en douce la vie ordinaire. Paul ne l'emmène pas toujours avec lui. Maman Grindel, trop heureuse de garder son adorable petite-fille, la laisse libre de faire ce qu'elle veut. Elle part au hasard, de son côté, dans les rues de Paris. Tout ce qui est beau l'attire irrésistiblement, pourvu que ce soit insolite, « comme sur une table de dissection la rencontre d'un parapluie et d'une machine à coudre ». Jeune mère, elle peut déjà scandaliser les femmes de son entourage, qui relèvent son incompétence et son peu d'assiduité. Si elle coupe ses cheveux et raccourcit ses jupes, elle ne travaille pas, ne se cherche pas de métier et continue humblement de voir toute sa vie dans l'ombre de Paul. Gala ne plaidera jamais devant Paul la cause matérielle. Elle partage ses enthousiasmes, elle comprend ses doutes sur son avenir au bureau : elle sait que sa vocation est ailleurs. Elle attend qu'il décide pour eux deux et fait confiance au poète qui a le pouvoir de changer leur vie. Pour cette esthète insatiable, les occupations des nouveaux amis de Paul sont une panacée. Aussi essaie-t-elle de s'immiscer dans le groupe. Elle accompagne Paul, qui ne lui refuse rien, de plus en plus souvent. Mais sa présence ne soulève pas l'enthousiasme. On la trouve « collante ». Philippe, qu'elle agace prodigieusement, l'appelle « la Punaise ». À peine plus indulgents, André et Louis sont intrigués par sa personnalité slave mais se méfient d'elle, craignant les hystéries comme les lourds silences de cette compagne. Elle ne fera jamais partie de leur groupe.

« Gala ne plaidera jamais devant Paul la cause matérielle. Elle partage ses enthousiasmes, elle comprend ses doutes sur son avenir au bureau : elle sait que sa vocation est ailleurs. »

---

10. Philippe Soupault, *Mémoires de l'oubli, op. cit.*, p. 101.

LE GRAND PSYCHODRAME

Un mot d'enfant fait bouger Paris : DA-DA, ces deux syllabes ne laissent personne indifférent. Dada est né à Zurich, en 1916, dans une ville neutre où ses fondateurs sont réunis dans l'exil par le refus de la guerre ; il a vu le jour au cabaret Voltaire, sous le signe de l'ironie. Et, depuis quatre ans, Dada ne se contente pas de secouer la Suisse, il répand ses revues partout en Europe. À Paris, c'est Apollinaire qui a révélé à André Breton l'existence de ce mouvement subversif ; en 1917, il lui a offert la première revue dadaïste de Zurich, que Tristan Tzara lui a fait envoyer. Breton n'y a guère alors accordé d'importance mais, au début de 1919, le manifeste *Dada 3* l'éblouit et le déconcerte : « Je détruis les tiroirs du cerveau et ceux de l'organisation sociale, a écrit Tzara. La logique est une complication. La logique est toujours fausse… Ses chaînes tuent, myriapode énorme asphyxiant l'indépendance. » Breton en a les larmes aux yeux : Dada évoque Jacques Vaché, l'ami trop tôt disparu, son humour féroce, son goût du néant. « Nous n'aimons ni l'art ni les artistes », prétendait Vaché dans l'une de ses lettres, reprochant aux poètes de « ne pas savoir les dynamos [11] ». Avec Aragon et Soupault, également enthousiastes, il décide de rallier les dadas. Tzara, qui de Zurich surveille l'actualité poétique, demande aux jeunes poètes de *Littérature* de collaborer à sa revue et leur envoie ses propres inédits.

Avant de toucher Paris, le mouvement a fait des émules à Barcelone, où Francis Picabia, un peintre d'une quarantaine d'années d'origine franco-cubaine, a créé *391*, une revue qui s'inspire de Dada, de ses refus et de sa violence. Lui aussi demande des textes aux trois jeunes poètes de *Littérature*, et en 1919, après un bref voyage auprès de la bande du cabaret Voltaire, il s'est installé à Paris. Picabia est un personnage de Latin vibrionnant, plein d'idées farfelues. En exil à New York, il a rencontré Marcel Duchamp [12], qui lui enseigne la dérision, l'importance des objets sur la pensée même, et c'est avec lui qu'il a – selon l'expression des critiques – « radicalisé l'anti-art ». Lorsque Breton fait sa connaissance en janvier 1920, il est aussitôt conquis.

Eluard et Gala, informés par leurs nouveaux amis, prennent le train en marche et se passionnent à leur tour. Dada est celui qui dit : « Ordre = désordre ; moi = non-moi ; affirmation = négation : rayonnements suprêmes d'un art absolu. » Et qui a écrit : « Que chaque homme crie : il y a un grand travail destructif, négatif, à accomplir. Balayer, nettoyer,

---

11. Jacques Vaché, *79 Lettres de guerre*, Jean-Michel Place, 1989.
12. Marcel Duchamp, né en 1887, frère cadet du peintre Jacques Villon et du sculpteur Raymond Duchamp-Villon, est alors l'auteur du *Nu descendant un escalier* (New York, 1912), l'une des premières œuvres d'esprit « anti-art » ; c'est Picabia qui révélera aux poètes de *Littérature* l'univers de Marcel Duchamp.

« Un mot d'enfant
fait bouger Paris :
DA-DA, ces deux
syllabes ne laissent
personne indifférent. »

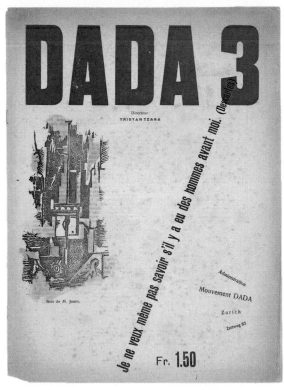

De gauche à droite :
André Breton, René Hilsum,
Louis Aragon, Paul Eluard.
Photographie prise
à l'occasion de la sortie
du numéro 3 de la revue
Dada.

Première visite-excursion dada à Saint-Julien-le-Pauvre, le 14 avril 1921 et affiche annonçant l'événement.
De gauche à droite : Jean-Joseph Crotti, Georges d'Esparbès, André Breton, Jacques Rigaut, Paul Eluard, Georges Ribemont-Dessaignes, Benjamin Péret, Théodore Fraenkel, Louis Aragon, Tristan Tzara et Philippe Soupault.

« Eluard et Gala, informés par leurs nouveaux amis, prennent le train en marche et se passionnent à leur tour. »

liberté… » Eluard envoie des poèmes en Suisse ; le soir, il régale Gala de la lecture du manifeste qui, résonnant dans leur chambre conjugale, annonce l'apocalypse : « Nous ne tremblons pas. Nous ne sommes pas sentimentaux. Nous déchirons, vent furieux, le linge des nuages et des prières et préparons le grand spectacle du désastre, l'incendie, la décomposition. » Son rire veut retentir sur un amas de ruines. Paul et Gala sourient. Ils ne sont pas tout à fait convaincus et Paul, dans une préface

Les Animaux et leurs hommes de Paul Eluard, illustré par André Lhote et publié en 1920 au Sans pareil.

pour *Les Animaux et leurs hommes, les hommes et leurs animaux* [13], qui voit le jour à l'hiver 1920, n'hésite pas à exprimer sa réserve. Il croit trop profondément à la poésie pour la renier ; il ne sera jamais nihiliste. Mais il aime assez, avec Gala, ce vent qui souffle, à vastes bouffées, un air de révolte et de liberté.

Aussi est-ce dans la fièvre que tous sollicitent à Paris l'arrivée du messie. Le porteur de la bonne parole se fait prier. Enfin, en janvier 1920, Dada se décide. Il débarque en solo, avec une petite valise : voici Tristan Tzara. Le Roumain, né à Moineşti en 1896, s'est approprié la fondation d'un mouvement dont il est le plus actif des porte-parole. Le créateur est un Allemand austère et solitaire, Hugo Ball. Il a laissé le champ libre aux improvisations de ce comparse, beaucoup plus doué que lui pour la réclame et le prosélytisme. Tzara toise ces jeunes Parisiens qui ne sont à ses yeux que de futurs adeptes auxquels il va inculquer à la fois sa philosophie tapageuse et son savoir-faire. Physiquement, Tzara ne paie pas de mine. Petit, maigre, vêtu de manière étriquée, plutôt modeste, une mèche en aile de corbeau sur le front, il manque de panache. Son apparition déçoit. Picabia l'accueille chez sa compagne, où le groupe s'est réuni. Tzara bredouille quelques mots inaudibles, dans un français tordu par un terrible accent. Il ébauche des gestes maladroits qui mettent tout le monde mal à l'aise, prend le bébé de Picabia sur ses genoux, déclame des « areu-areu » et enfin, à la surprise générale, éclate de rire. D'un rire superbe, tonique et contagieux. « Tzara dont le rire est un grand paon… », dira Philippe Soupault.

Dès lors la glace est brisée et le cercle presque aussitôt soudé. N'y manquent que Gala et Paul, qui étaient en vacances. Ils n'assistent pas à la première entrevue. Ne participent pas davantage, le 23 janvier 1920, soit six jours plus tard, à la première grande soirée dada au cours de laquelle on voit André Breton effacer au chiffon une toile de Francis Picabia pour en présenter une autre barrée d'un sigle : L.H.O.O.Q. [14],

13. *Œuvres complètes, op. cit.*, t. I, p. 37.
14. Formule inventée par Duchamp qui l'avait inscrite sur un portrait de la Joconde, retouché d'une barbiche et d'une paire de moustaches.

entre autres sketchs aberrants. À demi convaincu de la portée du message, par esprit de solidarité avec ses camarades autant que par goût du jeu, Paul se lance dans la foire et entraîne avec lui Gala, trop heureuse qu'on l'y emmène. Les voici histrions, engagés ensemble dans un grand psychodrame. Le 27 mars, à la Maison de l'Œuvre, Eluard monte pour la première fois sur scène. Déguisé en femme, il joue les mendiantes avec Gala. Elle lui donne la réplique dans une comédie qu'ont écrite Breton et Soupault. Paul récidive sans elle au dernier acte : déguisé cette fois en idiot du village, enfermé dans un sac en papier, il joue *La Première Aventure céleste de M. Aa. Antipyrine* et hurle « Zoumbaï ! » quatre fois, avant de réciter avec courage (il pleut des tomates et des biftecks) un texte de Tzara :

> *Amertume sans église allons allons*
> *charbon chameau*
> *synthétise amertume sur l'église isissise*
> *les rideaux dododo.*

Gala n'est pas priée une deuxième fois. Elle doit rester dans l'ombre. Elle ne manque pas une manifestation où Paul intervient. Les hommes la laissent rédiger les invitations et coller les timbres. Dada aime les bides et ils se succèdent. Le 14 avril, Paul est sous la pluie battante devant l'église Saint-Julien-le-Pauvre et vend des pochettes-surprises. L'eau coule sur les chiffons. Le 26 mai, ils sont sur la scène de la vénérable salle Gaveau. « Dada est le bonheur à la coque », disait le programme. Picabia, prudent, a préféré s'esquiver avant l'entracte. Pour ceux qui restent, le calvaire dure. Paul surgit, encore déguisé en femme, pour jouer le « personnage » d'une machine à coudre. Le

André Breton
en homme-sandwich
au festival dada à la Maison
de l'Œuvre, 27 mars 1920.

public le hue. Soupault reçoit une entrecôte en plein visage et escalade le balcon pour échanger des coups. Benjamin Péret [15] fait son apparition en hurlant « Vive la France et les pommes de terre frites ! » tandis qu'un hurluberlu s'empare de l'orgue de Gaveau pour interpréter un fox-trot. Dans le même temps, Paul Eluard crée sa propre revue : *Proverbe* [16]. Elle lui donne beaucoup de travail et offre pour dix sous des proverbes

---

15. Né en 1899 à Rezé (Loire-Atlantique), il a été présenté au groupe par Picabia. Rebelle définitif, il s'en tiendra toute sa vie au dadaïsme de sa jeunesse.
16. La revue paraît de fin janvier à mai 1920.

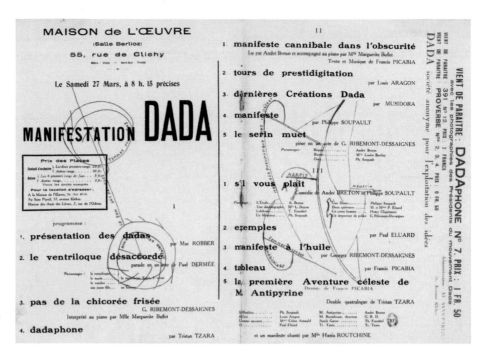

Programme du festival dada à la Maison de l'Œuvre, 27 mars 1920.

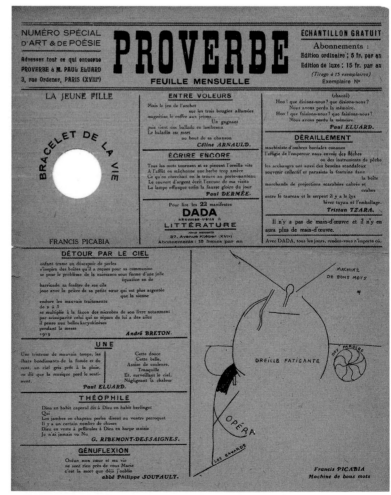

Numéro spécial de *Proverbe*, revue mensuelle créé par Eluard en 1920.

inattendus ou des parodies de proverbes, certains signés Tzara, devenu un grand ami. Paul s'essaie aussi à imiter l'art japonais et compose de mauvais haïkus.

L'automobile est vraiment lancée,
Quatre têtes de martyrs
Roulent sous les roues.

De moins en moins assidu au bureau de la rue Ordener, il prend l'habitude de se rendre presque tous les soirs au Certá, un café basque du passage de l'Opéra, où le groupe se retrouve quotidiennement à l'heure de l'apéritif. Gala, la plupart du temps, l'accompagne. Avec eux, Benjamin Péret, Théodore Fraenkel[17], Georges Ribemont-Dessaignes[18], ancien de *391*. Il y a aussi René Hilsum[19], encore un condisciple de Breton sur les bancs de médecine : il est devenu leur éditeur à tous en fondant, à l'enseigne Au Sans Pareil, la maison qui publie en 1919 et 1920, avec les *Lettres de guerre* de Jacques Vaché, *Mont de piété* de Breton et *Feu de joie* d'Aragon – leurs premiers recueils –, *Rose des vents* de Soupault, *Les Animaux et leurs hommes* d'Eluard. Il y a enfin Jacques Rigaut[20]. Parfois des visiteurs se joignent aux joyeux habitués : outre Marcel Duchamp, de retour à Paris, Pierre Drieu La Rochelle, un ami d'Aragon qui, tout en préservant farouchement son indépendance, applaudit aux excentricités, ou encore, plus rare, Henry de Montherlant.

Passage de l'Opéra, Paris.

Gala aide Paul à garder ses distances : elle l'entraîne en vacances dans le Midi, à Monte-Carlo, où elle perd de petites fortunes au casino. Les parents de Paul, inquiets du train de vie de leurs enfants, doivent les rappeler à l'ordre ! Peine perdue. En décembre 1920, c'est à Tunis que le jeune couple va fêter les vingt-cinq ans de Paul. Ils passeraient pour des touristes ordinaires si, à la suite d'une conférence qu'il a tenu à prononcer sur Dada, Paul ne réussissait à se faire traiter de « fumiste » par le journal local. Gala, d'une patience d'ange, appuie chacune de ses initiatives. Tandis qu'à Paris leurs amis continuent à se défouler aux dépens d'une société trop bourgeoise, ils s'en vont à Médenine célébrer leur amour au soleil.

---

17. De deux mois le cadet de Breton, ils ont passé le bac la même année.
18. Né à Montpellier en 1884, c'est une sorte de grand frère, très doué : peintre et poète, il écrit aussi des pièces de théâtre. Son père, professeur à la faculté de médecine, l'a renié quand il a choisi la voie artistique.
19. Né en 1895, lui aussi a voué beaucoup d'admiration à Paul Valéry.
20. Né en 1898, Jacques Rigaut se suicidera en novembre 1929, après avoir longtemps vanté le suicide « gratuit ».

Gala, avec Mme Grindel,
Cécile et Paul Éluard.

« Gala aide Paul à
garder ses distances :
elle l'entraîne en
vacances dans le Midi,
à Monte-Carlo, où
elle perd de petites
fortunes au casino. »

Paul et Gala à Monte-Carlo
en 1921.

Le groupe surréaliste dans un avion d'un parc d'attraction. De gauche à droite : André Breton, Robert Desnos, Joseph Delteil, Simone Breton, Paul Eluard, Gala, Jacques Baron, Max Ernst.

Le groupe dada à Paris en 1921. De gauche à droite, en partant du haut : Louis Aragon, Théodore Fraenkel, Paul Eluard, Clément Pansaers, Emmanuel Fay (coupé).

Au milieu : Paul Dermée, Philippe Soupault, Georges Ribemont-Dessaignes. En bas : Tristan Tzara, Céline Arnauld, Francis Picabia et André Breton.

DADA ET SES FEMMES

Dada est un club d'hommes. Les femmes ne sont pas « présidents ». Cantonnées aux coulisses, elles tiennent, avec plus ou moins d'éclat, un rôle modeste d'accompagnatrices. La plus audacieuse a sans aucun doute été Georgina Dubreuil, une maîtresse d'André Breton. « Elle avait dans l'amour un côté fusée[21]. » Ardente et sensuelle, elle s'amusait à lire à haute voix les lettres qu'une maîtresse écrivait à son mari. Après six mois d'une liaison passionnée, elle lui fera une dernière scène : un beau jour, ne le trouvant pas dans sa chambre, elle a l'idée de tout saccager. Elle détruit des photos, des lettres, des livres d'Apollinaire dédicacés, des textes manuscrits de Jacques Vaché, ainsi que quelques tableaux – deux Derain, trois Marie Laurencin, un Modigliani –, le début de la collection de Breton et tout ce qu'il aime. Puis elle disparaît, n'offrant à

Simone Kahn, photographiée par Man Ray en 1926.

Breton, sous le choc, qu'un message en forme de poème dada : « Tout remonte à la plus haute Antiquité : les graffitis qui enchantent les petits garçons ne sont jamais que des cœurs et des triangles entourés de feu[22]. »

Le groupe compte depuis peu une personnalité féminine qui n'est pas confinée au cercle de la vie strictement privée. Elle s'appelle Simone Kahn. Vingt-trois ans, les cheveux noirs et le teint sombre, elle séduit par son dynamisme et son intelligence. Elle a assisté au festival de la salle Gaveau, qu'elle a jugé « d'une grossièreté et d'une pauvreté qui se rendent l'une l'autre inexcusables[23] ». Simone a un esprit critique que même l'amour n'entamera pas. Dès sa première rencontre avec André Breton, elle lui lance à brûle-pourpoint : « Vous savez, je ne suis pas dadaïste. » Breton, séduit, lui aurait alors répondu : « Moi non plus… » Simone Kahn est une cartésienne à la pensée rigoureuse et au vocabulaire précis. À preuve ce portrait d'André Breton, devenu son flirt : « Personnalité de poète très spéciale, éprise de rare et d'impossible, juste ce qu'il faut de déséquilibre, contenue par une intelligence précise même dans l'inconscient, pénétrante, avec une originalité absolue… Une simplicité et une sincérité très grandes, même dans le contradictoire. » Gala n'a pas le même talent pour manier les concepts. Intuitive, elle ne connaît pas d'autre logique que celle de son amour ou de ses caprices. Elle raisonne peu. Sa force, c'est sa foi dans le destin d'un homme qu'elle n'analyse pas et critique moins encore. En 1920, Simone Kahn est, officiellement, la fiancée d'André Breton. Elle amène

21. André Breton, trente-cinq ans après, dans un article intitulé « Magie quotidienne ».
22. Cité par Henri Béhar, *André Breton, le grand indésirable*, Calmann-Lévy, 1990, p. 85.
23. *Ibid.*, p. 104.

parfois avec elle sa cousine et confidente, Denise Lévy, une brune ravissante aux sourires irrésistibles, « un être d'une haute harmonie[24] », selon un des témoins du temps. Libre dans ses jugements, malicieuse, rayonnante, elle envoûte d'abord Louis Aragon, mais tous sont sous son charme, elle est « la femme la plus chantée par le surréalisme[25] ».

« Vive les concubines et les concubistes ! » proclamait Francis Picabia dans le *Manifeste Dada*. Comment être à la fois dada et amoureux, bon dada et bon époux, fou et fidèle ? Le dilemme fait son chemin dans l'esprit d'Eluard, ses poèmes en portent la trace. Pour la première fois, ce n'est plus une femme qu'il chante, mais le fantôme de plusieurs. Un rêve à plusieurs corps, à plusieurs charmes s'impose à lui, « Fortune d'un rêve et d'un autre rêve par le sommeil d'un cœur à l'amour à plusieurs[26]. » Gala aime être belle et elle aime séduire, « un autre jour elle choisirait cet autre, cet autre près d'elle…[27] », songe déjà Eluard. Dédié à Gala – « Gala, c'est dire qu'il est à toi » –, le recueil qui paraît en 1921, sous le titre *Les Nécessités de la vie et les conséquences des rêves*, inaugure le règne de l'ambiguïté : « s'asseoir à l'aube, coucher ailleurs[28] », y a rêvé Eluard, s'avouant qu'« une femme heureuse » est son « premier tourment ».

Denise Lévy vers 1927.

24. Marguerite Bonnet, *André Breton, naissance de l'aventure surréaliste*, José Corti, 1975.
25. Selon Pierre Daix, qui trace d'elle un très émouvant portrait dans *La Vie quotidienne des surréalistes*, Hachette, 1993, p. 185 à 196
26. « Définition », dans *Les Nécessités de la vie, Œuvres complètes, op. cit.*, t. I, p. 92.
27. « Comédienne », *ibid.*, p. 87.
28. « Premier tourment », *ibid.*, p. 90.

« Intuitive, Gala ne connaît pas d'autre logique que celle de son amour ou de ses caprices. Elle raisonne peu. Sa force, c'est sa foi dans le destin d'un homme qu'elle n'analyse pas et critique moins encore. »

Pages du manuscrit des *Nécessités de la vie* de Paul Eluard.

LA FEMME-MIROIR
DES ARTISTES
ASSOCIÉS

LA PALETTE DU POÈTE

Paul Eluard communique sa passion de la peinture à sa femme. L'initiateur de Paul dans ce domaine est Amédée Ozenfant. Les Eluard ont pris l'habitude de se rendre à son atelier pour discuter des nouveaux courants qui bouleversent le monde des arts. Ozenfant, né en 1886, est avec Le Corbusier le fondateur du « purisme ». Dans la revue qu'il a créée, *L'Esprit nouveau*, il prêche la simplicité des formes, la sobriété des couleurs. Or, c'est aussi le chemin qu'a choisi Paul : « Essayons, c'est difficile, de rester absolument purs, nous nous apercevrons alors de tout ce qui nous lie[1]. » Il s'intéresse ainsi à André Derain, quarante ans, qui a exposé avec les fauves, mais il est à la recherche d'un nouveau style, qu'il explore dans les lumières du Sud. Paul et Gala lui achètent leur premier pastel. Chez Ozenfant, ils rencontrent également André Lhote, trente-cinq ans, un cubiste dont cinq dessins illustrent le recueil des *Animaux et leurs hommes*. Fidèles à la mémoire d'Apollinaire, qui avait publié *Les Peintres cubistes*, Paul et Gala s'intéressent aussi à Georges Braque, puis à Juan Gris[2]. Avec le pastel de Derain et quelques Ozenfant, ils commencent une collection d'art moderne, qui prendra de l'ampleur au printemps 1921, lorsque seront mis en vente, salle Drouot, les trésors des marchands allemands Kahnweiler et Uhde, spécialistes de l'art cubiste dont les biens ont été séquestrés pendant la guerre.

Plus près d'eux, il y a Giorgio De Chirico. Cet Italien, né en Grèce en 1888, installé à Paris depuis 1919, les séduit avec des toiles aux vastes perspectives où émane le sentiment d'une profonde énigme. Il y a aussi un Français qui vient de rentrer d'Amérique. Il a derrière lui une véritable carrière de provocateur. Marcel Duchamp, que leur présente Picabia, est un grand bonhomme qui se donne rarement la peine de fournir des explications à son public, restreint mais enthousiaste. Francis Picabia, qui rêve d'être le ténor du mouvement, avec son extravagance, ses voitures « grand sport », ses messages tonitruants et la fâcheuse habitude qu'il a prise d'envoyer ses amis aux casse-pipes dadas sans jamais y prendre part, est un personnage plus controversé. Il réalise des toiles mécanomorphes, qu'il baptise *Udnie*, *Edtaonisl* ou *Serpentins* (1916). En avril 1920, son exposition au Sans Pareil, chez René Hilsum, a été un triste échec.

Quand Eluard publie un recueil de poèmes, il prend l'habitude de demander à un peintre d'en illustrer la couverture, comme le font aussi Louis Aragon et André Breton. Ainsi Picasso, à la demande d'Aragon, a-t-il dessiné le frontispice de *Feu de joie* et Derain donné la même

---

1. Dans la préface des *Animaux et leurs hommes*, *Œuvres complètes*, *op. cit.*, t. I, p. 37.
2. Georges Braque est né en 1882, Juan Gris en 1887, André Derain en 1880, André Lhote en 1885. Cubistes ou anciens cubistes, tous ont dix à quinze ans de plus qu'Eluard et sa génération.

Numéros I et 14 de *L'Esprit Nouveau*, revue créée par Amédée Ozenfant et Le Corbusier en 1920.

p. 74
Max Ernst, Lou et Jimmy, Paul Eluard, Gala et Cécile à Saint-Brice-sous-Forêt en 1924.

Giorgio de Chirico,
portrait de Paul et Gala
Eluard réalisé en
décembre 1923, lors
d'un voyage à Rome.

année (1920) deux dessins à Breton pour son *Mont de piété*. Les poètes de *Littérature*, et Gala avec eux, aiment Marie Laurencin, l'amie d'Apollinaire, pour sa palette tendre et pour sa *Femme à la colombe* (1919). Ils aiment surtout le Douanier Rousseau et sa peinture naïve.

Frontispice du recueil
Le Devoir et l'Inquiétude
d'Eluard, illustré par André
Deslignères.

LE KANGUROO

Le lundi 2 mai 1921, les Eluard sont en voyage sur la Côte d'Azur, pour soigner Gala. Ils manquent l'événement de ce printemps parisien : l'exposition, à la librairie du Sans Pareil, des toiles d'un dénommé Max Ernst, dont Tristan Tzara ne cesse de chanter les louanges. Max Ernst est allemand : c'est là sa première provocation. Organiser son exposition à Paris, en 1921, quand viennent précisément d'être confisquées les collections de Kahnweiler et d'Uhde, tient du défi. Dans son pays, Ernst a déjà défrayé la chronique, d'une part en écrivant des poèmes en français dans des revues dadas (« Je me borne à me servir de pincettes à rot rhinocérosisées... »), et d'autre part en exposant non pas des toiles, mais des collages. Ces « cartes postales », Ernst les découpe dans des livres d'histoire, d'anatomie ou de zoologie, ou dans de vieilles gravures et les accompagne de titres absurdes : *Le Limaçon de chambre fusible*, *La Petite Fistule lacrymale qui dit tic-tac*, *Le Volume de l'homme calculable par les accessoires de la femme...* En avril, à Cologne, il a passé quelques jours au poste de police, pour acte de pornographie et incitation à l'émeute ! Il a en effet participé à une soirée organisée à la brasserie Winter. Exposition qui lui a valu d'être en outre renié et déshérité par son père. À l'entrée, un *Objet à détruire*, auquel était attachée une hache, engageait le visiteur à le mettre en pièces. Au sous-sol, entre autres excentricités, trônait un aquarium d'eau rougie où flottaient un réveille-matin, une chevelure et une main en bois. Les vingt et un collages d'Ernst, jugés obscènes, ont à ce point agacé le public rhénan que celui-ci a tenté de saccager les lieux.

Les collages arrivent par la poste, les uns après les autres, par petits paquets, à l'adresse de Francis Picabia. Breton vient lui-même les déballer. Picabia, jaloux, ne financera pas l'aventure. Plein d'admiration, Breton, qui y trouve « l'esprit d'Einstein », fait appel à Louis Aragon pour préparer l'exposition. Ils paient de leur poche l'impression du catalogue : *La mise sous whisky marin se fait en crème kaki et en cinq anatomies*. Le lundi 2 mai, enfin, tout est prêt, mais la vedette du jour brille par son absence : privé de passeport à cause de ses fredaines et interdit de séjour en France, Ernst est resté à Cologne.

« Le lundi 2 mai 1921, les Eluard sont en voyage sur la Côte d'Azur, pour soigner Gala. Ils manquent l'événement de ce printemps parisien : l'exposition, à la librairie du Sans Pareil, des toiles d'un dénommé Max Ernst, dont Tristan Tzara ne cesse de chanter les louanges. »

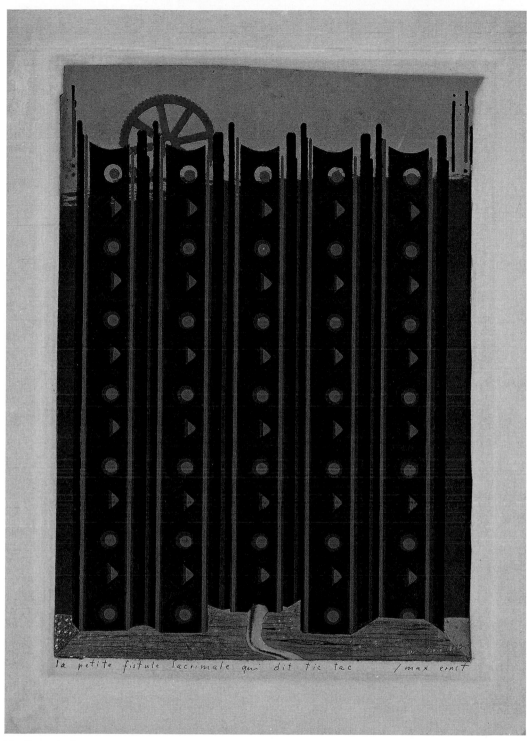

Max Ernst, *La Petite
Fistule lacrymale
qui dit tic-tac*, 1920,
gouache sur papier,
36,2 × 24,5 cm,
Museum of Modern Art,
New York.

À l'entrée de la librairie, les dadaïstes, presque au complet, accueillent leurs invités en poussant des cris de bêtes. Breton craque et croque des allumettes. Louis Aragon miaule à la figure de chaque arrivant. Georges Ribemont-Dessaignes crie et répète inlassablement : « Il pleut sur un crâne ! » Jacques Rigaut compte à haute voix les perles des dames. Philippe Soupault joue à cache-cache avec Tristan Tzara, bousculant les gens. Les visiteurs sont venus nombreux. La plupart conservent leur bonne humeur, mais certains grincent des dents : ils prennent l'auteur de ces collages pour un imposteur. Dans la salle, le vacarme continue. Louis Aragon, qui s'est enfermé dans un placard, ridiculise les chalands dont il saisit aussitôt les défauts. Toutes les lumières s'éteignent d'un coup. La trappe qui conduit à la cave de la librairie s'ouvre, il en monte un vieux mannequin de tailleur gémissant. On distribue des biscuits secs. André Gide, dans une cape romantique, sourit avec indulgence. Le peintre Van Dongen lance un inoubliable : « Ces dadas sont morts, je préfère les Fratellini ! » C'est alors que Tristan Tzara annonce le clou de la soirée. D'une voix sinistre, tandis que chacun s'est servi un verre d'orangeade, il déclare qu'un verre – un seul – a été empoisonné par ses soins : il y a ajouté une purge ! « Si vous êtes vraiment un Borgia, je vous casse la gueule demain ! »

Les lendemains déchantent. Certes, l'exposition a obtenu l'effet de scandale recherché. Mais Max Ernst n'a rien vendu. Surtout, il s'est acquis à Paris une réputation de mauvais peintre. Drieu La Rochelle confiera à Aragon (« Je ne lui demandais rien », précise Aragon) que les dadas « n'avaient pas de chance avec *leurs* peintres, qu'ils n'avaient pas *vraiment* les peintres qu'ils méritaient ». Paul Eluard, revenu de vacances et informé de l'ampleur des dégâts, se passionne aussitôt pour ces « peinto-peintures » dont les titres sont de véritables poèmes. Dès lors le groupe se ressoude – sans Picabia toutefois – autour de ce personnage inconnu. Puisqu'il ne peut pas sortir de son pays, la décision est prise de lui rendre visite. Tzara annonce qu'il va aller le rejoindre avec son amie Maja. Ernst les attend en Autriche, à Tarrenz bei Imst. Mais chacun a ses propres projets et le mois d'août passe sans qu'ils répondent à l'appel. Quant à Eluard, il n'arrivera au Tyrol qu'après moult hésitations, avec une Gala en très mauvaise santé, fin septembre, alors que la bande s'est déjà dispersée… Paul et Gala vont y demeurer tout un mois, en tête à tête, et décident de prolonger leurs vacances en passant par Cologne.

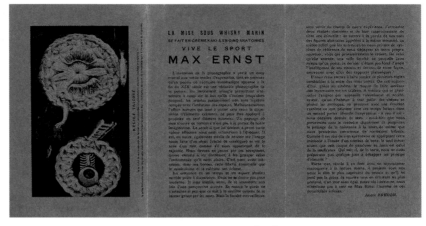

Catalogue de la première exposition de Max Ernst à Paris, organisée par André Breton et Louis Aragon, de mai à juin 1921.

Eluard ne veut pas rentrer sans avoir fait la connaissance de celui qui vient d'illustrer d'une *Préparation à la colle d'os* le joyeux manifeste qu'il a écrit en collaboration avec Tristan Tzara et Hans Arp[3] : *Dada au grand air*[4]. Dans l'après-midi du 4 novembre, ils sonnent à la porte de l'atelier du peintre, 14, Kaiser Wilhelm Ring, à Cologne.

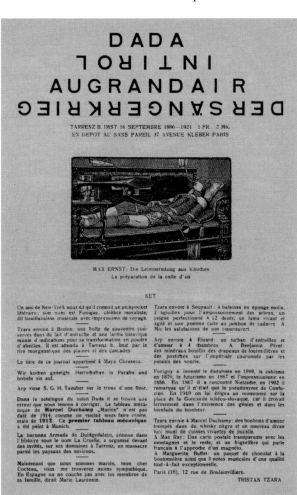

Dada 8 : Dada In Tirol au grand air, Der Sängerkrieg, septembre 1921.

DADAMAX ET SES CHIMÈRES

Max Ernst ressemble plus à un champion de tennis qu'à un artiste maudit : grand, vif et bondissant, il a un air de bonne santé et une force physique qui, dès l'abord, en imposent aux Eluard. Si *ernst*, en allemand, veut dire « sérieux », « grave », il est tout le contraire : décontracté et d'une humeur joyeuse, il inspire aussitôt la sympathie au couple, qui croyait être venu visiter un très important personnage. Il se présente aussi comme « Dadamax Ernst le redouté ». Né en 1891, il a exactement trente ans mais il paraît être leur cadet tant son allure joviale le rend juvénile. Amical, d'une gentillesse et d'une modestie sincères, il se prend si peu au sérieux qu'il en paraît désinvolte. Ernst est marié à une jeune Allemande qu'on appelle Lou ou encore Rosa. Ils ont un petit garçon d'un an, Ulrich, que son père a rebaptisé Jimmy[5] ou encore Minimax… Max et Lou se sont rencontrés à l'université de Bonn. Depuis leur mariage au lendemain de la guerre, ils vivent à Cologne, sans trop de soucis matériels, des revenus de Lou qui travaille au musée Wallraf-Richartz et reçoit aussi une aide financière de son père, un riche chapelier. Depuis qu'Ernst passe pour un dangereux agitateur, non seulement il se voit refuser les visas pour sortir du territoire allemand, mais tout ce qu'il entreprend est menacé par la censure. Il est brouillé avec sa propre famille depuis qu'il l'a, selon l'expression de son père, « déshonorée », et est également en froid avec sa belle-famille. Isolés, les Ernst ont peu d'amis. Il y a Hans Arp, peintre et

---

3.   Né en 1886, il est également connu sous le nom de Jean Arp.
4.   Titre allemand : *Der Sängerkrieg in Tirol*.
5.   Jimmy Ernst écrira un jour ses mémoires qui seront publiés en France sous le titre : *L'Écart absolu*, Balland, 1986.

sculpteur né à Strasbourg, qui habite Munich et ne vient que de loin en loin à Cologne. Il y a Johannes Grunewald, un fils de banquier, richissime, qui habite à Cologne un palais entouré d'un grand parc. Peintre et poète, il répand des idées bolcheviques dans la revue qu'il édite, *Der Ventilator*. Cet artiste, complice de toutes les provocations, s'est rebaptisé, par dérision pour sa chère famille, Baargeld, c'est-à-dire « argent comptant ».

Du 4 au 10 novembre 1921, les Eluard et les Ernst vont vivre ensemble, en inséparable quatuor, une semaine exquise de vacances, sans aucune ombre au tableau. Ils vont jusqu'à poser, empilés les uns sur les autres, sur le parquet de l'atelier, devant un appareil de photo qui se déclenche avec retard. « Nous dansons de tous les côtés, écrit Paul, enchanté, à Tristan Tzara. De petits rubans qui volent, les chiens ont peur. » Les deux hommes, pourtant très différents, se sont immédiatement accordés. Leur sympathie est totale et réciproque. Ernst est un homme en rupture absolue avec la société et avec sa famille. Sa révolte est profonde, irrémédiable, même si elle ne s'orne d'aucune théorie, d'aucun effort de propagande. Sa rébellion s'exprime dans une peinture anticlassique, si radicalement hors des normes qu'en pénétrant dans son atelier Paul et Gala, qui ne connaissaient que ses collages, en ont le souffle coupé. D'instinct, au premier regard, Paul Eluard éprouve pour Max Ernst

Max Ernst,
L'Éléphant de Célèbes,
1921, huile sur toile,
125 × 108 cm,
Tate Modern, Londres.

une admiration immense. Il achètera la toile qui finit de sécher sur le chevalet : *L'Éléphant de Célèbes*. C'est une grande huile de 130 sur 110 centimètres, qui apporte à tous ceux qui prétendent qu'« il ne sait pas peindre » un évident démenti.

Les Eluard ne vont pas tarder à comprendre que ce bel athlète blond, de si joyeuse compagnie, porte en lui de terribles fantasmes. Sa peinture, sans l'humour, serait un voyage aux enfers. Tout en puissance mais dicté par des forces obscures, et déjà tellement épanoui, son art va bien au-delà du simple jeu de la provocation. Il apparaît comme le plus grand des hallucinateurs. Une seule semaine a suffi pour que Paul Eluard considère Max Ernst comme son frère. « Le roi dansait sur un arbre. Max, je ne suis plus fils unique », écrit-il à Tzara [6]. Pour Max Ernst, Paul Eluard est celui qui a su comprendre sa peinture et partager sa révolte.

---

6. Le 21 mars 1922.

Gala, Max Ernst,
Theodor Baargeld,
Luise Straus-Ernst,
Jimmy Ernst
et Paul Eluard, dans
l'appartement des Ernst
à Cologne en 1920.

« Du 4 au
10 novembre 1921,
les Eluard et les Ernst
vont vivre ensemble,
en inséparable
quatuor, une semaine
exquise de vacances,
sans aucune ombre
au tableau. »

« Nous avons fait tomber de la poussière de nos veines dans nos verres », écrit-il à son tour. Les deux hommes vont se découvrir un autre lien : en 1917, sur le front de la Somme, ils se faisaient face, soldats dans des tranchées ennemies. Max Ernst s'en est sorti [7] la rage au cœur contre les prétendus sages qui les ont envoyés pour rien au casse-pipe.

Leurs femmes, elles, sont le jour et la nuit. Ayant horreur des bavardages, Gala fuit le plus possible tout ce qui la ramène au quotidien, au souci d'un enfant et d'un foyer. Attirée par les féeries du monde artistique, elle suit Paul et Max partout. Très vite, Rosa-Lou, avec son bébé, se trouve un peu délaissée. Paul et Max composent des poèmes. Avec Gala, ils choisissent onze collages pour illustrer le prochain recueil d'Eluard, *Répétitions* [8]. Max peint sur verre un portrait du poète : de profil, au premier plan, un homme aspire par les narines, à l'aide de tubes, le contenu d'une assiette. Il peint aussi Gala, la poitrine découverte, sur un tableau à la gouache rehaussé d'un collage qui s'inspire d'elle, *Perturbation ma sœur*. Elle est ainsi à la fois une sœur et une présence qui dérange, un ferment de désordre. Lorsque Paul et Gala rentrent à Paris, le 10 novembre, Max écrit : « Les deux Eluard partis, les deux Ernst sont tombés en enfance. »

Dans l'atelier de Max Ernst, près de la table de travail : Louise, Max et Gala, assis, entourent Jimmy Ernst, et Paul Eluard est à demi allongé.

LE COMPLEXE DE L'AMOUR À TROIS

En mars 1922, alors que *Répétitions*, édité par le Sans Pareil, vient de paraître, Paul Eluard revient à Cologne pour remettre personnellement à son ami les exemplaires qu'il lui destine. Quarante-neuf poèmes – « tout cristal [9] », dira Eluard – composent le recueil qui s'ouvre sur « Max Ernst », poème phare, qui éclaire peut-être la relation des deux hommes :

> *Dans un coin l'inceste agile*
> *Tourne autour de la virginité d'une petite robe*
> *Dans un coin le ciel délivré*
> *Aux épines de l'orage laisse des boules blanches.*
> *Dans un coin plus clair de tous les yeux*

---

7. Max Ernst était soldat dans l'artillerie.
8. Dans *Œuvres complètes*, *op. cit.*, t. I, p. 103 à 119.
9. Lettre à Jacques Doucet, citée par Lucien Scheler et Marcelle Dumas dans les *Œuvres complètes*, *op. cit.*, t. I, p. 1342.

Répétitions de Paul Eluard,
illustré par Max Ernst
et publié au Sans
Pareil, 1922.

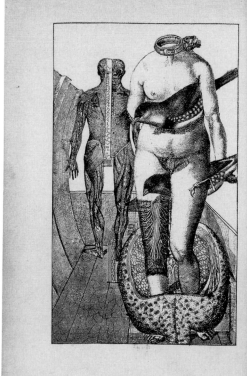

LA PAROLE

J'ai la beauté facile et c'est heureux.
Je glisse sur le toit des vents
Je glisse sur le toit des mers
Je suis devenue sentimentale
Je ne connais plus le conducteur
Je ne bouge plus soie sur les glaces
Je suis malade fleurs et cailloux
J'aime le plus chinois aux nues
J'aime la plus nue aux écarts d'oiseau
Je suis vieille mais ici je suis belle
Et l'ombre qui descend des fenêtres profondes
Épargne chaque soir le cœur noir de mes yeux.

17

On attend les poissons d'angoisse
Dans un coin la voiture de verdure de l'été
Immobile glorieuse et pour toujours.

À la lueur de la jeunesse
Des lampes allumées très tard
La première montre ses seins que tuent des insectes rouges.

Dans un tableau où les images de l'été finissant jouent avec les signes avant-coureurs d'un orage rôde l'inquiétude. Pour Paul Eluard comme pour Rosa, il est clair que Gala et Max se plaisent. Si *Répétitions* établissait déjà entre le poète et le peintre de «miraculeuses correspondances[10]», les deux artistes semblent vouloir aller plus loin, pour voir jusqu'où il est possible de mêler leurs techniques et amalgamer leurs fantasmes. Deux ans auparavant, André Breton et Philippe Soupault avaient tenté l'aventure dans *Les Champs magnétiques*, où personne n'avait été capable de faire la part de Breton et celle de Soupault. Dans le domaine de la peinture, Max Ernst avait lui aussi tenté l'expérience en élaborant des «fatagagas» («fabrication de tableaux garantis gazométriques») avec son ami Hans Arp. Au printemps 1922, Eluard et Ernst décident donc de pousser plus loin l'expérience. Ils ont recours à la poste, par laquelle le même poème va et vient. À une première phrase de l'un, lancée au hasard ou tombée d'un rêve (la «méthode» automatique), l'autre ajoute à son tour une phrase, corrige la précédente, ébauche la suivante, apporte une retouche à l'ensemble. Cela donne, au hasard des textes : «Au-delà de la coquetterie des guéridons, les pattes des canards abrègent les cris d'appel des dames blanches...» (*Rencontre de deux sourires*). Ou : «Par un froid de papier, les écoliers du vide rougissent à travers les vitres» (*Les Deux Tout*). Ou encore : «Ramassez sous les chênes les taches de rousseur et les grains de beauté, suivez en barque les troupeaux des jours d'éclipse, contemplez avec des cailloux dans les yeux l'immobilité des mannequins tout-puissants...» (Conseils d'ami). Si Gala ne participe pas aux *Malheurs des Immortels* – le titre de cet

«Pour Paul Eluard comme pour Rosa, il est clair que Gala et Max se plaisent.»

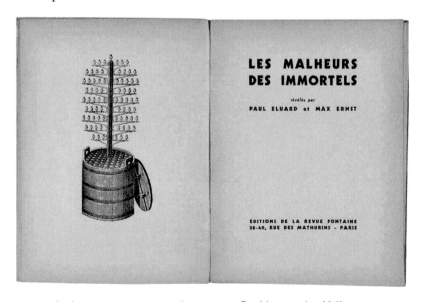

Double page des *Malheurs des Immortels* de Paul Eluard et Max Ernst, paru en 1922.

---

10. Selon Michel Sanouillet, *Dada à Paris*, Flammarion, 1993.

Max Ernst, Gala et Paul
Eluard à skis dans le Tyrol,
avril 1922.

étrange recueil –, elle n'en est pas tout à fait exclue. Car Paul Eluard, fidèle à son habitude, lui lit tout ce qu'il écrit, et tout ce qu'Ernst lui envoie.

À Pâques, les deux amis se retrouvent, avec leurs épouses, à Imst où ils s'étaient manqués, la première fois. Une photographie immortalise ces vacances : Gala, en élégante tenue de ski, pose avec un air de satisfaction entre les deux hommes. Invisible derrière l'objectif, probablement Rosa, que la photo exclut du souvenir. *Les Malheurs des Immortels* paraissent en juillet, à la librairie Six que dirige la femme de Philippe Soupault. Pour fêter l'événement, Eluard et Ernst passent l'été entre amis. Paul et Gala, Max et Rosa-Lou avec Jimmy, Tristan Tzara et sa compagne Maja Chrusecz, Hans Arp et son amie Sophie Taeuber : tout ce petit monde se retrouve pour la troisième fois à Tarrenz bei Imst où les rejoint bientôt un journaliste américain, *aficionado* des folies dadas, Matthew Josephson[11]. Il est rédacteur de la revue *Broom* (c'est-à-dire « balai ») pour laquelle il tient la chronique de l'été. Quelques jours à peine après leur installation, Ernst, abandonnant l'appartement à Rosa et à Minimax, vient habiter la maison des Eluard. Les Tzara, les Arp et Matthew Josephson sont les témoins d'une idylle qui ne se cache pas. Dadamax est visiblement fou de la femme de son meilleur ami. Paul n'entreprend rien pour s'opposer à leur liaison. Il est si discret et si complaisant qu'il donne l'impression de l'approuver. « Vous ne savez pas ce que c'est que d'être marié à une femme russe ! » confiait-il à Matthew Josephson. « J'aime Max Ernst beaucoup plus que Gala[12]. » Quelle que soit l'hypothèse retenue – homosexualité cachée, recherche

---

11.   Matthew Josephson écrira par la suite *Life Among the Surrealists*, Holt Rinehart & Winston, New York, 1962.

12.   *Ibid.*, p. 179 : « *Well, I love Max Ernst much more than I do Gala.* » Le précédent propos d'Eluard en français dans le texte.

d'excitations nouvelles ou culte de la générosité –, Gala n'est pas un enjeu entre les deux hommes. Rosa ne porte pas du tout sur la scène le même œil bienveillant. Les années n'ayant pas effacé sa rancune, elle écrira : « Cette femme russe, cette créature glissante, scintillante, aux cheveux noirs tombants, aux yeux noirs vaguement orientaux et lumineux, aux petits os délicats, qui, n'ayant pas réussi à entraîner son mari dans une affaire avec moi afin de s'approprier Max, décida finalement de garder les deux hommes, avec l'amoureux consentement d'Eluard. » Mais Gala, seule, met l'été à l'orage, les témoins sont formels : elle prend la situation au tragique. Elle n'a ni la clémence de Paul, ni la décontraction de Max, ni la résignation de Lou. Nerveuse, fiévreuse, irritée, elle manifeste son angoisse dans des scènes dont se souviendront longtemps les amis de passage à Tarrenz. « C'est casse-pieds, c'est intolérable ! » écrit Tzara, qui reproche à Gala, « avec ses drames à la Dostoïevski », de leur gâcher le bon air des vacances [13].

Bientôt l'été s'achève. On n'a ni écrit ni peint. On s'est moins bien amusé que la saison dernière. Le 30 août, le groupe se disperse. Max Ernst raccompagne Rosa et le petit Jimmy à Cologne mais, sous le charme de la « femme russe » et de son poète, il a décidé de les rejoindre à Paris. Paul Eluard l'y encourage puisque, en lui disant au revoir, il lui a laissé son passeport, après l'avoir déclaré perdu et s'en être fait faire un double au consulat. Le 2 septembre, prenant pour quelques heures le nom et le visage de son « meilleur ami et demi », Ernst franchit clandestinement la frontière. Son vieux rêve de venir à Paris se réalise enfin. Les Eluard l'attendent l'un et l'autre avec impatience. Il vient habiter chez eux.

LE JEU
DES SOMMEILS FÉCONDS

Les Eluard n'habitent plus Paris, ils ont déménagé à Saint-Brice-sous-Forêt, une bourgade en banlieue nord, où Clément Grindel leur a déniché un pavillon qu'entoure un jardinet, à dix-huit kilomètres de la capitale, car leur santé se détériorait en ville. Sitôt Max dans les murs, une vie de famille s'organise. Le matin, Paul prend le train, retrouve son père au bureau et déjeune sur place, chez sa mère. Il ne rentre que le soir. Gala se lève un peu plus tard, lit et traîne au salon, Cécile dans ses jupes. La petite fille a quatre ans. Depuis l'arrivée de Max Ernst, elle préfère demeurer à Saint-Brice près de lui. Sans papiers, Ernst passe plusieurs semaines cloîtré. Jean Paulhan, sur la demande d'Eluard, procure à Ernst de faux papiers, au nom de Jean Paris. Il va enfin pouvoir

« Ernst franchit clandestinement la frontière. Son vieux rêve de venir à Paris se réalise enfin. Les Eluard l'attendent l'un et l'autre avec impatience. Il vient habiter chez eux. »

---

13. *Ibid.*, p. 179.

chercher du travail. Ce sont les dadas qui se chargent de lui trouver de petits boulots. C'est ainsi que, pour partager les frais du ménage et payer son matériel, il devient polisseur de cabochons en verre. Artisan dans une petite fabrique près de la place de la République, il y est connu comme « le Taciturne ». Il moule aussi en galalithe des souvenirs bon marché pour les touristes. Un jour, il rôde près d'un groupe de gens qui tournent un film d'Henri Diamant-Berger : on l'embauche comme figurant.

Le dimanche, et parfois le soir, il se retire et s'enferme dans sa chambre pour peindre. À Saint-Brice, où l'on respecte son besoin de solitude, il travaille en secret à une grande toile qui s'appellera *Au rendez-vous des amis*, le tableau de leur jeunesse : après le travail, les deux hommes ont rendez-vous au café, au Certá ou au Petit Grillon, passage de l'Opéra, pour l'heure sacrée de l'apéritif. On s'y retrouve quotidiennement : le groupe des « jeunes ancêtres », André Breton et Louis Aragon, Philippe Soupault et Benjamin Péret, Tristan Tzara et Georges Ribemont-Dessaignes, et de nouvelles recrues, Marcel Noll, Pierre Naville (jeune philosophe), Robert Desnos, enfin René Crevel. On discute sur le sujet du jour, soigneusement choisi par Breton, on met des notes aux gens célèbres, on cherche des idées pour relancer Dada qui s'essouffle, on récite des vers, on parle tableaux, manuscrits, objets divers.

Max Ernst, Gala et Cécile dans la villa d'Eaubonne.

Breton et Aragon veulent aider Max Ernst. Ils le recommandent à celui qui est désormais leur mécène : le couturier et collectionneur Jacques Doucet. Il a engagé Breton et Aragon comme conseillers artistiques. Après lui avoir constitué une prestigieuse bibliothèque, en achetant des manuscrits et des éditions rares, ils l'ont orienté vers les ouvrages contemporains, de sorte que tous leurs amis ont chez Doucet une place au soleil. Ils le fournissent aussi en tableaux de maîtres modernes. Mais ils auront besoin de toute leur faconde pour convaincre Doucet d'acheter un Max Ernst. Aragon lui propose pour cinq cents francs *À l'intérieur de la vue*, un tableau qui représente cinq vases de cristal (cent francs chacun !) où les fleurs sont plongées à l'envers. Breton s'occupe de la transaction : Doucet voudrait deux vases au lieu de cinq, bien sûr pour deux cents francs seulement ! Les jeunes gens auront le dernier mot : Doucet achète *À l'intérieur de la vue* avec ses cinq vases et Ernst, pour le remercier, exécute une version à deux vases, dont il lui fait cadeau, *Les Vases communicants*…

Gala, quand elle ne reste pas seule avec Cécile à lire et à attendre, vient se promener à Paris. Ces jours-là, elle rejoint les hommes à l'apéritif. Elle ne fait aucun commentaire, mais, au dire des témoins, sa présence est intense, pesante selon certains. Lorsqu'elle s'éloigne, élégante et austère, entre ses deux hommes, elle laisse un malaise. Personne ne comprend la partie qu'elle joue. André Breton, jeune marié plutôt pudibond, désapprouve tacitement ce ménage à trois. Philippe Soupault déteste franchement la femme : il l'accuse de vouloir désespérer Paul, très amoureux, en abusant de l'amitié du poète pour Max Ernst. Louis Aragon, qui ne veut pas porter de jugement, est plus indulgent : il plaint Eluard dont il connaît le spleen – un sentiment que le poète essaie de cacher à ses amis mais qui n'échappe pas à Aragon, complice de ses désarrois nocturnes quand, trop malheureux, il déserte le foyer de Saint-Brice. Tout n'est plus rose en effet dans le ménage à trois. L'inquiétude a gagné Paul Eluard, qui ne savoure plus autant les ambiguïtés du partage. Il a du mal à trouver sa place entre eux. De plus en plus souvent, il reste à Paris avec les noctambules de la bande, Aragon l'emmène dans les boîtes à champagne, à la recherche des filles et de l'oubli. Il fume, il boit, mais la fête est triste.

Max Ernst, *Les Vases communicants*, 1923, huile sur toile, 81 × 65 cm.

Une année passe, le séjour d'Ernst en France se prolonge, s'annonce même comme définitif. Lou est venue à Saint-Brice, avec Jimmy, tenter de reconquérir son fugueur. Elle repartira sans illusions, convaincue que Gala tient les deux hommes sous sa coupe. Elle n'a plus aucun espoir de jamais ramener Dadamax au domicile conjugal[14]. La joyeuse bande à Dada prend le train pour aller égayer les soirées du petit pavillon. René Crevel y a enseigné un nouveau jeu pour remplacer ceux des notes et des grosses farces qui lassent tout le monde désormais : le jeu des sommeils féconds. Cela consiste à se réunir autour d'une table pour interroger celui qui est capable de s'endormir à volonté et d'entrer en communication avec ses rêves les plus profonds. Crevel, qui a pris des cours d'hypnose, excelle dans cet exercice difficile. Robert Desnos et Benjamin Péret, ainsi que la petite amie de ce dernier, sont les seuls qui arrivent comme lui à s'endormir sur commande. Le sommeil – c'est ce que le jeu veut prouver – a des pouvoirs magiques. Le dormeur, qui doit garder l'usage de la parole, est promu sorcier. Les recherches du docteur Freud passionnent le groupe. Ni Eluard, ni Ernst, ni Gala, pas plus que Breton ou Aragon, ne seront jamais capables de s'endormir malgré leurs efforts. Le médium en chef est Robert Desnos. Ce poète, qui travaille pour un chroniqueur mondain qu'il doit alimenter en

---

14. Les Ernst divorceront en 1926.

anecdotes, se change en pythie dès qu'il s'endort et répond par de ful-gurants messages aux questions dont chacun le bombarde.

Gala, en médium, lors de séances d'hypnose et de sommeil instantané avec Robert Desnos, René Crevel, André Breton et Paul Eluard, à Saint-Brice.

Breton. – C'est Ernst qui te donne la main. Tu le connais ?
Desnos. – Qui ?
Breton. – Max Ernst.
Desnos. – Oui.
Breton. – Vivra-t-il longtemps ?
Desnos. – Cinquante et un ans.
Breton. – Que fera-t-il ?
Desnos. – Il jouera avec les fous.
Breton. – Sera-t-il heureux avec ces fous ?
Desnos. – Demandez à cette femme en bleu.
Breton. – Qui est cette femme en bleu ?
Desnos. – La.
Breton. – Quoi ? La ?
Desnos. – Tour.

Tous ces jeux qui amusent d'abord le groupe finissent par orienter la lumière sur des affaires privées, troubles ou douloureuses. Un soir, à Saint-Brice, Desnos, saisi d'une fureur inconsciente ou semi-inconsciente, s'empare d'un couteau de table et menace de poignarder Paul, qui s'enfuit en courant. Un jour, agacé par Tzara, qu'il appelle « le tsar Tzara », Eluard se brouille avec lui. À peine se sont-ils réconciliés que c'est avec Breton qu'Eluard se fâche, lequel, rancunier, déchire un recueil de poèmes d'Eluard en leur prêtant des « sentiments de collégien, faits pour plaire aux demoiselles de magasin » ! Seul Max Ernst, « souriant, aimable, discret », selon Philippe Soupault, se tient un peu à l'écart et évite de se battre sur le terrain des vastes théories chères à Breton. Il préfère, aux réunions de la bande, sa solitude de peintre ou ses heures d'intimité.

Au rendez-vous des amis fixe sur une grande toile les portraits du groupe. Max Ernst n'a donné aucune explication. Bête noire d'André Breton, qui voit en lui l'ennemi de son avant-garde, Dostoïevski est admiré de Gala et Paul Eluard. Interrogé par Breton, au café Certá, au sujet des romans qu'il aime le plus, Paul a cité *L'Éternel Mari*. À la fois tragique et comique, l'histoire de *L'Éternel Mari* est celle d'un homme que fascine au-delà de la mesure, jusqu'à l'obsession et jusqu'à la folie, dans le plaisir et dans les larmes, l'amant de sa femme.

Max Ernst, *Au rendez-vous des amis*, 1922, huile sur toile, Museum Ludwig, Cologne, Allemagne.

Ernst a numéroté ses personnages de 1 à 17 et inscrit de sa main, en noir, la légende des noms. Lui-même porte le numéro 4, Eluard le numéro 9. Parmi tous ces hommes, une seule femme, le numéro 16 : Gala. Debout, presque de dos, à l'extrême droite, elle a l'allure de quelqu'un qui s'éloigne et elle tourne la tête vers celui qui la peint. Breton, de face, une large écharpe autour du cou, un bras levé, semble présider la séance. À ses côtés, dans son ombre, la silhouette espiègle d'Aragon, avec une main gracieuse. Crevel joue d'un piano invisible. Paulhan, reconnaissable à son faciès chinois, Péret avec son monocle, Desnos plutôt falot, chacun est saisi par un détail qui le caractérise. Paul Eluard est de trois quarts, son beau visage illuminé. Il a le poing gauche fermé et ses yeux sont baissés : il regarde en lui-même. Tandis que Baargeld, en costume jaune, s'agite et que son compatriote Arp, en veston clair, tourné dans la même direction, désigne une miniature du cabaret Voltaire, Max Ernst, les cheveux blancs, le visage bronzé, très mince dans un costume émeraude, est assis sur la cuisse droite d'un personnage tout de sombre vêtu, qui arbore une barbe de moujik : Fiodor Dostoïevski.

Dans le tableau, sur le document :

11 Benjamin Péret
12 Louis Aragon
13 André Breton
14 Baargeld
15 Giorgio di Chirico
16 Gala Eluard
17 Robert Desnos
Décembre
1922

LA VALSE-HÉSITATION

Les poètes ont pour la plupart perdu leur bel entrain et leur esprit de cohésion. Dès 1922, la tendance est à la dispersion et aux polémiques. Dans sa revue, Breton appelle chacun à élaborer le message commun. Le numéro d'avril de *Littérature* propose d'aller jusqu'au bout de la révolte qui est depuis les origines au cœur du mouvement. Le programme affiché est clair et net : « Lâchez tout ! »

> *Lâchez votre femme, lâchez votre maîtresse.*
> *Lâchez vos espérances et vos craintes.*
> *Semez vos enfants au coin d'un bois.*
> *Lâchez la proie pour l'ombre.*
> *Lâchez au besoin une vie aisée, ce qu'on vous donne*
> *pour une situation d'avenir.*
> *Partez sur les routes.*

Chez André et Simone Breton, le groupe débat autour du mot « partir ». Louis Aragon vient de donner l'exemple : il a « lâché » la carrière médicale en manquant le tramway qui devait le conduire à ses derniers examens. Son tuteur, c'est-à-dire son père, lui a coupé les vivres. Il vient de trouver un emploi chez Doucet : second grand organisateur de la bibliothèque et de la collection de tableaux du couturier. Paul Eluard est encore en apparence dans le carcan. Mais, de plus en plus visibles, les signes du malaise profond qu'il ne sait pas résoudre obscurcissent l'horizon, déchiré entre l'amour et l'amitié. Il s'est cru assez fort pour partager, mais c'était compter sans Gala, ses scènes perpétuelles, et les crises de nerfs qui prouvent qu'elle souffre elle aussi de ne pouvoir choisir. Prisonnière d'une situation qu'il a organisée, elle va de l'un à l'autre. « Il est bien méchant quelquefois, le petit Eluard[15] », écrit Marcel Noll, devenu le compagnon des nuits blanches du poète qui vient souvent dormir chez lui, quand il n'a pas envie de rentrer. Les colères de Paul marquent en effet cette époque. D'une redoutable violence, d'autant plus spectaculaires qu'elles sont rares et surprennent chez un être aussi doux et d'ordinaire aussi patient. Elles bouleversent la petite Cécile. Il sort ; avec Noll – « grand enfant naïf, pas beau, avec des yeux plus grands que la vie », selon Aragon –, ses compagnons sont les célibataires du groupe : Louis Aragon, infatigable aux fêtes continuelles, Benjamin Péret et René Crevel. Des Halles à Montmartre, de la porte Saint-Denis à Belleville, ils déambulent, discutant et draguant. Les nuits blanches laissent un goût amer : « On se réveille avec la courbature des mauvais rêves et du

« Eluard s'est cru assez fort pour partager, mais c'était compter sans Gala, ses scènes perpétuelles, et les crises de nerfs qui prouvent qu'elle souffre elle aussi de ne pouvoir choisir. »

---

15. Lettre inédite citée par Pierre Naville dans *Le Temps du surréel*, Galilée, 1977.
Noll ajoute : « Mais il est le seul de tous les amis qui aime la vie au-dessus de tout. »

En haut :
Max Ernst, *La Belle Jardinière*, 1924.

En bas :
Affiche pour les représentations du *Cœur à barbe* au Théâtre Michel, les 6 et 7 juillet 1923.

froid [16] », écrit Crevel. Triste à ne plus pouvoir écrire, il rêve au grand silence. *Lâchez tout !* Marcel Duchamp le fait savoir dans Paris : il a décidé de ne plus peindre. Le néant, cette révolte absolue, serait la dernière solution, l'aube du monde nouveau.

Max Ernst, quant à lui, donne la preuve d'une inaltérable énergie. À Saint-Brice, il consacre toutes ses journées à peindre, tandis que Gala lui tient compagnie. Voici, dédié à André Breton, *Les hommes n'en sauront rien*, voici *Ubu imperator*, *La Femme chancelante*, *Sainte Cécile*, *Vieillard, femme et fleur* ou *La Belle Jardinière*, qui est le plus bel exemple de la complicité amoureuse qui lie l'artiste à son modèle.

Autour du trio que forment, avec une Gala inquiète et déchirée, un poète exsangue et un peintre euphorique, le groupe vit lui aussi le chaos. Tzara, qui veut forcer la main à ceux qui ne croient plus à ses farces, se brouille avec ses amis par excès d'autorité et de zèle. André Breton voudrait orienter la poésie vers d'autres rivages, prend la mouche, d'autant que Tzara a débauché des jeunes recrues, tel Crevel, et menace de faire éclater le groupe de *Littérature*. Une soirée va précipiter la rupture, le 6 juillet 1923, au théâtre Michel. Tzara y a prévu une représentation du *Cœur à barbe*, la pièce chérie dont il est l'auteur et qu'il veut accompagner de lectures de poèmes – non seulement les siens mais quelques-uns de Soupault et d'Eluard, auxquels il n'a rien demandé et qu'il a décidé de mélanger, par provocation, à des textes de Jean Cocteau ! Sur scène, autour de Tzara : René Crevel, Jacques Baron et Pierre de Massot dans d'invraisemblables costumes de Sonia Delaunay. Dans la salle, Aragon, Breton, Eluard, Desnos et Péret organisent un chahut de tous les diables. La police, appelée par Tzara, expulse Breton, puis Desnos et Péret qui vocifèrent et se débattent jusque sur le trottoir. Le préfet de police a interdit toute autre représentation du *Cœur à barbe* – une perte sérieuse pour le Roumain. À Breton, Eluard adressera ce simple commentaire : « Frissons. »

LA MAISON DES RÊVES

Paul Eluard va mal. Et, de plus en plus, son travail l'exaspère : rue Ordener, où il est toujours « employé » de son père, les transactions le rebutent. Ses parents s'inquiètent de voir s'incruster chez lui un peintre allemand, qui vit à ses crochets dans une intimité scandaleuse avec Gala.

---

16. Lettre à Jean-Michel Franck, citée par François Buot dans sa biographie, *Crevel*, Grasset, 1991, p. 51.

Clément Grindel, qui prospère chaque jour davantage, lui achète une villa sur un terrain de deux mille mètres carrés, près de son domaine, dans la petite ville d'Eaubonne. Le coin est isolé mais jouit du bon air de la forêt. Mais Clément Grindel sera vite déçu : s'il espérait rapprocher son fils et sa bru de son influence et évincer l'intrus, c'est en vain.

La « maison de poupée » d'Eaubonne, dira Eluard, se cache derrière un muret de briques, dans un jardin planté de marronniers et de séquoias. Au 4 de l'avenue Hennocque. Cette jolie villa hésite entre le modern style et le faux Louis XVI. Le rez-de-chaussée surélevé comprend la cuisine, le salon et la salle à manger. Au premier étage se trouvent la chambre du couple, la chambre de Cécile et la salle de bains. À peine installé dans la maison, Eluard n'hésite pas un instant : il fait démolir une partie du mur sous la toiture, du côté nord, et poser de grands vitrages. Le deuxième étage sera un atelier. C'est à trois que les Eluard vont pendre la crémaillère et continuer de vivre sous le même toit.

Eaubonne, c'est aussi la maison du peintre : de l'atelier où il travaille, Ernst descend de grandes toiles qu'il accroche au salon, dans la salle à manger ou dans la chambre à coucher du couple. Il ne se contente pas de créer tableau sur tableau, il peint sur les murs, sur les plafonds et sur les portes. Louis Aragon écrit à Doucet, dans l'espoir de le convaincre face à « des paysages apocalyptiques, des lieux jamais vus, des divinations. On est transporté sur d'autres planètes, dans d'autres ères, au milieu de grandes lianes ignées, de grandes désolations charbonneuses [17] ». Le monde de Max Ernst envahit la maison avec ses rêves étranges et effrayants et son humour acide. Eluard n'a jamais décrit ou chanté Gala qu'en femme, plus ou moins sensuelle, coquette, éthérée, despotique et changeante, selon le moment de leur histoire. Ernst au contraire la transfigure et la représente en créature surnaturelle : enroulée autour d'une ligne ou suspendue dans les airs, le ventre ouvert, les cheveux rouges, sans yeux ou couverte d'insectes.

C'est à Eaubonne que Max Ernst entreprend et achève *Pietà ou la Révolution la nuit*, mystérieux tableau qui ornera plusieurs mois l'un des murs du salon et que Breton ensuite achètera : le jeune homme inanimé, avec sa blondeur, son profil aquilin, fait penser à un autoportrait [18]. Une pietà selon Max Ernst, où on cherche la Vierge sans la trouver, à moins qu'elle ne soit ici virile et chapeautée. Sarane Alexandrian, qui est historien d'art, a interprété l'œuvre à la lumière du drame intime d'Eaubonne, voyant en particulier dans le personnage debout, dans sa résignation et son désespoir, le reflet de Paul Eluard en ces années 1923-1924. Les deux personnages du beau jeune homme et du jeune homme triste, souligne-t-il, sont également passifs, l'un impassible

L'une des portes de la maison d'Eaubonne peinte par Max Ernst.

17. Louis Aragon, « Max Ernst, peintre de l'illusion », dans *Les Collages*, Hermann, 1965.
18. Telle est du moins l'interprétation de Sarane Alexandrian dans son *Max Ernst*, Somogy, 1992, p. 60.

Histoire naturelle, l'une des fresques murales de la maison d'Eaubonne, peinte par Max Ernst en 1923.

« Eluard n'a jamais décrit ou chanté Gala qu'en femme, plus ou moins sensuelle, coquette, éthérée, despotique et changeante, selon le moment de leur histoire. Ernst au contraire la transfigure et la représente en créature surnaturelle. »

et l'autre accablé, soumis à l'autorité virile dont ils sont les esclaves. Gala est-elle le despote ? « La Révolution la nuit exprime le triomphe de l'onirisme, la supériorité des choses faites en état de rêve. »

On imagine l'atmosphère que pouvaient créer les murs couverts de fresques de la maison d'Eaubonne. Tout le salon, dont deux murs en angle, sur plus de deux mètres de haut, donne l'illusion d'un jardin enchanté, tapissé de lianes bleues et vertes. Gala en est la reine. Le bras levé, la tête penchée, élancée et nue, le ventre béant sur les entrailles, elle domine le paysage. Ernst a peint ce qui fait la beauté de son corps : plus que les proportions harmonieuses, plus que les longues jambes galbées, plus que les seins de jeune fille, essentiellement son allure, son port de reine. Gala allie deux qualités souvent incompatibles que Max Ernst a fidèlement représentées sur la fresque : la force et la grâce. Autour d'elle jouent tous les fantômes, inquiétants et cocasses, du paradis ernstien : un merveilleux serin ; des canards qui font de la bicyclette (de l'« hydrocyclette ») dans un bassin ; un nez en forme de trombone, sans visage pour s'accrocher ; un drôle de personnage dont le pied repose sur la voile ocre d'un bateau de plaisance ; beaucoup de mantes religieuses, dont on sait la voracité ; des mains qui, comme le nez, n'appartiennent à personne et qui semblent jaillir du mur ; des couples enlacés dans un sarcophage… Et partout, suggérant une jungle naïve, les lianes bleues et vertes d'où surgit un même, obsédant corps de femme. Les fantasmes de Max Ernst ne s'arrêtent pas au salon. Ils montent à l'étage où, sous l'atelier, ils font de la chambre de Cécile, d'une simple frise de fleurs et d'animaux bizarres, une nursery de conte. Ils pénètrent dans la salle de bains où une énorme fraise, obèse comme un monstre, s'étale jusqu'au plafond. Ils resplendissent enfin dans la chambre à coucher de Paul et de Gala : Max Ernst y a peint Gala grandeur nature, sur la porte, juste à côté du lit. Elle est en culotte de gymnastique, les seins nus et les yeux bandés, enroulée autour d'une liane bleue. Elle tient dans la main une araignée blanche.

Le décor de la maison d'Eaubonne est si surprenant qu'il arrache à André Breton, pourtant défenseur acharné d'Ernst, ce cri d'horreur : « Penser que la banlieue, la campagne vous cachent de telles machinations ! » Il est vrai que Paul Eluard, au milieu des trompe-l'œil de Max Ernst qu'il ne manque jamais de présenter fièrement à chacun de ses visiteurs, a entassé tout ce qu'il aime aussi : des livres anciens à côté des recueils de poèmes que lui ont dédicacés ses amis ; des tableaux de Derain, de Picabia, de Chirico, de Picasso, de Marie Laurencin ; des masques africains et des totems océaniens, des vases et des fétiches de tribus primitives ; enfin des poupées pueblos, que Gala adore, en provenance du Nouveau-Mexique. Gala, qui détestait le décor bourgeois de la rue Ordener, se plaît au contraire dans cette villa, mi-caverne d'Ali Baba, mi-maison hantée. Les deux hommes la font rêver. Le partage est cependant inégal. Dès le seuil, tous les témoins le diront, l'impression est très forte : on croyait entrer chez Paul Eluard et on pénètre en fait presque par effraction chez Max Ernst. Paul se laisse envahir, il admire son ami, il l'aide financièrement, non seulement en lui assurant un toit mais en lui achetant des toiles. À ses parents, il explique qu'il croit au génie de Max Ernst, à ses dons méconnus. Les rares vers qu'il écrit du temps d'Eaubonne traduisent pourtant sa tristesse. « Je le sais bien », écrit-il en exergue au poème « Nudité de la vérité [19] » :

Max Ernst, *Pietà ou La révolution la nuit*, 1923, huile sur toile, 116 × 89 cm, Tate Modern, Londres.

> *Le désespoir n'a pas d'ailes,*
> *L'amour non plus*
> *[...].*
> *Je ne bouge pas,*
> *Je ne les regarde pas,*
> *Je ne leur parle pas.*
> *Mais je suis bien aussi vivant que mon amour*
> *et que mon désespoir.*

INTERLUDE
AUX ÎLES SOUS-LE-VENT

Le 24 mars 1924, Paul Eluard disparaît. Il n'a pris la peine d'avertir qu'une seule personne, son père, auquel il a adressé un pneumatique : « J'en ai assez, je pars en voyage. J'emporte l'argent que j'ai sur moi, lui écrit-il. Soit 17 000 francs. Ne lance pas la police, ni publique ni privée, à mes trousses. Le premier qui se fourre dans mes pattes, je le mets hors d'état de me nuire. Et cela serait dommage pour l'honneur de ton nom. Tu diras que je suis dans un sanatorium en Suisse. Aie les plus grands ménagements pour Gala et Cécile. »

Dans le groupe, la nouvelle, presque aussitôt connue, fait l'effet d'une bombe. La veille, Paul a signé un bon à tirer, c'est, dit-il, son

---

19. *Œuvres complètes, op. cit.*, t. I, p. 149. « Nudité de la vérité » est un des poèmes du recueil *Mourir de ne pas mourir*.

dernier recueil : *Mourir de ne pas mourir*. Il a emprunté la formule à sainte Thérèse d'Avila : *Muero porque no muero*. Dédié à André Breton, « pour tout simplifier », avec une couverture illustrée d'un portrait de lui-même par Max Ernst. « Comment prendre plaisir à tout ? » demande le poète dans « Au cœur de mon amour[20] ». « Plutôt tout effacer. »

L'un des poèmes est intitulé « Sans rancune[21] ».

Larmes des yeux, les malheurs des malheureux,
Malheurs sans intérêt et larmes sans couleurs.
Il ne demande rien, il n'est pas insensible,
Il est triste en prison et triste s'il est libre.
[...]
Une ombre...
Toute l'infortune du monde
Et mon amour dessus
Comme une bête nue.

André Breton, qui croise par hasard Gala trois jours après le drame, la juge « calme... Elle veut travailler[22] ». Simone mesure mieux son drame : « Gala, écrit-elle encore, reste avec 400 francs, la petite, et dans une situation impossible à cause de Max Ernst. Ses beaux-parents ne la soutiendront que s'il part. Et il est tout ce qui lui reste. » Le départ d'Eluard signifie pour elle l'abandon, toutes les portes se ferment. Mais c'est une femme aux décisions rapides, qui sait réagir. Comme elle n'a aucun diplôme et aucune expérience, elle a l'idée de vendre au porte-à-porte des foulards ou des cravates que Max Ernst pourrait peindre sur de la soie et qu'elle coudrait et ajusterait elle-même. Son compatriote Ilia Zdanévitch – Iliadz – gagne pas mal d'argent ainsi, avec des écharpes que peint son amie Sonia Delaunay. Gala lui écrit pour demander conseil : « Les amis sont rares par ces temps, comme vous le savez. » Elle demeure pudique : « À part toutes ces choses, il fait triste autant que possible. »

Paul Eluard est le plus fragile des deux. Il vient d'embarquer à Marseille, pour un très long voyage. Auparavant, il s'est arrêté à Nice, à l'hôtel Beaulieu : « J'y ai pleuré, tellement pleuré...[23] », avouera-t-il. Très vite, il lui écrit pour lui dire où il est et où elle pourrait venir le rejoindre. Soucieux de la protéger financièrement, il commence par lui envoyer une procuration afin de lui permettre de vendre une part de leurs biens, dont le bénéfice lui permettra d'acheter un billet de bateau. Gala ne dira rien à personne.

« Le 24 mars 1924, Paul Eluard disparaît. Il n'a pris la peine d'avertir qu'une seule personne, son père. »

20. *Œuvres complètes*, *op. cit.*, t. I, p. 138.
21. *Ibid.*, p. 148.
22. Rapporté par Simone Breton.
23. *Lettres à Gala*, *op. cit.*, p. 69 (juin 1929).

Embarqué le 15 avril sur l'*Antinoüs*, un cargo mixte, Paul a fait escale aux Antilles, à Panamá et, après six semaines de mer, a débarqué à Papeete, le 30 mai. « Tu es la seule précieuse, je n'aime que toi. Je n'ai jamais aimé que toi. Je n'aime rien d'autre », écrit-il, navré, à Gala, joignant deux cents marks à sa lettre. Puis : « Je te baise partout. Je n'ai pensé qu'à toi toutes les minutes de ton absence[24]. » Il lui demande de venir. Clément Grindel refuse de se laisser amadouer et de payer le bateau. Gala n'a pas alors d'autre choix : elle organise la vente des trésors qu'Eluard a amassés avec passion. Le 7 juillet 1924, à Drouot, sept dessins et cinq toiles de Picasso, quatre tableaux de Juan Gris, trois de Derain, deux de Braque, huit de Chirico, trois de Picabia, un de Marie Laurencin passent aux enchères, ainsi que trois huiles de Max Ernst qui ne rapportent à peu près rien[25], des masques nègres, une terre cuite péruvienne, un casque persan et quelques antiquités kitsch de moindre intérêt. Avec le profit de la vente, Gala commence par rembourser à son beau-père les dix-sept mille francs que Paul a emportés, puis elle règle ses autres dettes, confie sa fille à sa belle-mère et achète enfin son billet de bateau pour Saigon. Paul Eluard vient en effet de quitter Papeete et, par Singapour, de gagner l'Indochine, sur ce même *Antinoüs* où il a déjà passé tant de « jours de lenteur... Jours de miroirs brisés et d'aiguilles perdues. Jours de paupières closes à l'horizon des mers...[26] ». Max Ernst a décidé d'accompagner Gala, il brade un lot de toiles à une mécène, pâtissière à Düsseldorf, qui l'a déjà aidé dans sa jeunesse et qu'il appelle Mutter Ei. Et voici, après plus de quatre mois de séparation, le trio à nouveau reconstitué, à Saigon. Ils vont rester ensemble le temps de rassembler l'argent pour le voyage du retour : du 11 août, date probable de l'arrivée du paquebot *Paul-Lecat* à Saigon, jusqu'au 5 septembre, date probable de l'embarquement de Paul et de Gala sur le *Goenther*, en direction de Marseille[27]. Paul Eluard parlera un jour de « voyage idiot ». Ni Paul ni Gala ne raconteront jamais ce séjour qui n'aura ni élargi ni changé l'horizon, mais qui ramène la paix dans le ménage. À Saigon, le trio qui durait depuis deux ans se défait. C'est à deux qu'ils vont rentrer à Paris, Max ayant choisi de prolonger de quelques semaines son séjour. À son retour, il déménagera d'Eaubonne.

Paul Eluard, rasséréné, peut télégraphier à ses parents dès le 12 août. « Gala arrivée. Heureux vous retrouver ainsi que terrains. » « Vous n'avez jamais été motif. Répondez télégraphiquement. Vous ai toujours aimés. Grindel. Hôtel Casino. Saigon. » Quelques problèmes d'argent,

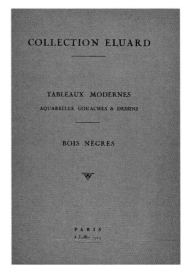

Catalogue de vente de la collection Eluard en 1924.

« Très vite, Paul lui écrit pour lui dire où il est et où elle pourrait venir le rejoindre. Je te baise partout. Je n'ai pensé qu'à toi toutes les minutes de ton absence »

---

24. *Ibid.*, p. 17.
25. Elles se bradent à moins de cent quatre-vingts francs, prix maximal atteint par *À l'intérieur de la vue*.
26. *Capitale de la douleur*, *Œuvres complètes*, *op. cit.*, t. I, p. 187.
27. Le scénario du voyage a été reconstitué par Jean-Charles Gateau dans son ouvrage sur Eluard (*op. cit.*, p. 119 et suivantes), avec beaucoup de points d'interrogation.

vite résolus, retardent le retour du fils prodigue, qui sollicite encore l'aide de son père : « Devrions être partis. Vie très chère. Envoyer vite chèque dix mille au moins avec instructions banque Indochine. » La réapparition d'Eluard, après six mois de silence, provoque dans le groupe autant de stupeur que son départ. On a pensé qu'il ne reviendrait pas. Selon Soupault et Naville, personne n'a parlé de lui pendant tout ce temps, où il manquait pourtant. « La disparition d'un être humain ouvre une interrogation grave, écrit Naville. Je ne parle pas de la mort, qui simplifie tout. Mais soudain ce vide. Où est-il ? Une trace, le vent balaie aussi ce signe… » C'est tout juste si le cercle n'est pas déçu par la banalité du retour à l'ordre.

Gala et Paul Eluard
en Indochine en 1924.

Quant à Gala, l'épisode indochinois aura encore renforcé à son égard le climat général de méfiance et d'antipathie. Ainsi Simone Breton avoue-t-elle : « Je ne lui pardonnerai jamais non ses mensonges mais son attitude mensongère au moment de son départ. J'ai pour elle une répulsion sans bornes. Je ne pardonne pas qu'on me vole mes émotions. Encore moins à André [28]. » Si Eluard réintègre le cercle, « comme si rien ne s'était passé », selon la formule de Breton, Gala, plus que jamais, est tenue à l'écart. Victor Crastre, l'un des poètes qui collaborent à la revue *Clarté* et observateur extérieur, perçoit ainsi son étrange aura : « Cette Slave maigre aux yeux incandescents semblait possédée par un génie (du mal ?) ; il y avait de la sorcière en elle, jeune et charmante sorcière, qui répandait les sortilèges et menaçait de jeter la pomme de discorde dans le groupe [29]. »

ERRANCES AMOUREUSES

En partant, Eluard n'a rien effacé. Réconcilié avec Gala, il demeure pessimiste. « Les voyages, écrit-il, m'ont toujours mené trop loin. La certitude d'arriver ne m'a jamais semblé que le centième coup de

28. Les commentaires de Breton, d'Aragon et de Simone Breton sont cités par Pierre Naville dans *Le Temps du surréel, op. cit.*
29. Victor Crastre, *Le Drame du surréalisme*, Éditions du Temps, 1963.

sonnette à une porte qui ne s'ouvre pas [30]. » Quant à Gala, elle n'est pas non plus intacte après cette longue parenthèse : le sentiment du sacrifice consenti sur l'autel conjugal laisse en elle une amertume, une frustration qu'elle cherche à fuir à son tour dans de courts voyages. Croire chacun de son côté en sa liberté, en des plaisirs nouveaux, tout en préservant l'amoureuse union officielle : tel est alors le projet du couple Eluard.

Pendant leur absence, Dada est mort et enterré. André Breton préside un nouveau groupe : le surréalisme. Il a pour quartier général le Cyrano, un café de la place Blanche, leur boisson fétiche n'est plus le Picon-citron mais le mandarin-curaçao. Il est d'usage de se retrouver tous les jours à cinq heures précises, on pointe les absents. L'heure est à la discipline. Au mois d'octobre 1924 paraît le *Manifeste du surréalisme*, aux éditions Kra, qui en pose les fondements « Surréalisme : n.m. Automatisme psychique pur par lequel on se propose d'exprimer, soit verbalement, soit par écrit, soit de toute autre manière, le fonctionnement réel de la pensée. Dictée de la pensée en l'absence de tout contrôle exercé par la raison, en dehors de toute préoccupation esthétique ou morale. » Les signataires : Aragon, Breton, Crevel, Desnos, Naville, Noll, Péret, Soupault et quelques autres. Tzara et Picabia sont évincés. Paul Eluard est rentré juste à temps pour que son nom soit ajouté à la main sur les épreuves. Les poètes ont fondé un « Bureau de recherches surréalistes », qui se tient au 15, rue de Grenelle. Chacun peut s'y informer des dernières découvertes d'un groupe qui entend désormais agir en politique. Leur revue, *La Révolution surréaliste*, va exprimer leur nouveau projet : « Le surréalisme n'est pas un moyen d'expression nouveau ou plus facile, ni même une métaphysique de la poésie, y lit-on ; il est un moyen de libération totale de l'esprit et de tout ce qui lui ressemble. » « Nous sommes bien décidés à faire une Révolution. Le surréalisme est un cri de l'esprit qui se retourne vers lui-même et est bien décidé à broyer désespérément ses entraves, et au besoin par des marteaux matériels [31]. » Dirigée par Benjamin Péret et Pierre Naville, puis par un nouveau venu, Antonin Artaud [32], la revue orchestre les grands changements.

Paul Eluard se jette dans la bataille. Il collabore à la permanence du Bureau de recherches, et signe un autre texte collectif : *Un cadavre* célèbre, d'un anathème, la mort d'Anatole France, en cet automne 1924. « Tes semblables, cadavre, nous ne les aimons pas », a-t-il écrit au milieu d'un chapelet d'insultes, achevant ainsi son homélie : « Un grand souffle

« Tu es la seule précieuse, je n'aime que toi. Je n'ai jamais aimé que toi. Je n'aime rien d'autre. »

---

30. *L'Immaculée Conception, Œuvres complètes, op. cit.*, t. I, p. 313.
31. Déclaration du 27 janvier 1925.
32. Artaud est né en 1896 à Marseille, où son père est capitaine au long cours. Il a renoncé à la prêtrise pour le théâtre, que lui ont révélé Lugné-Poe puis Charles Dullin. « Il était possédé par une sorte de fureur », dit André Breton. Un illuminé « qui traînait avec lui un paysage de roman noir, tout transpercé d'éclairs ».

Gala en 1927.

d'oubli me traîne loin de tout cela. Peut-être n'ai-je jamais rien lu, rien vu de ce qui déshonore la Vie [33] ? »

Max Ernst a fini par rentrer à son tour. Il a loué un atelier à Montmartre, dans la maison Les Fusains, rue Tourlaque. Il n'a pas un sou et ne mange pas tous les jours à sa faim. Paul Eluard ne l'abandonne pas : il l'aide financièrement et lui achète quelques tableaux. Au printemps 1925 paraît un recueil anonyme, modestement tiré à cinquante exemplaires, contenant dix-huit très courts poèmes et vingt dessins à la plume. Philippe Soupault en révélera ensuite les deux auteurs, Paul Eluard et Max Ernst. Le recueil s'intitule *Au défaut du silence.* « Je me suis enfermé dans mon amour, je rêve », écrit le poète devant un de ces vingt visages à la plume, fins et acérés, à la pointe sèche, qui illustrent les pages. Étoffés d'une masse drue de cheveux noirs, ce sont les vingt visages de Gala. Tous ces visages, à peine différents, ont pour dénominateur commun de ne pas chercher à plaire. Gala apparaît puissante et terrifiante, avec son mystère indéchiffrable, opaque même à ses amants. « La forme de tes yeux ne m'apprend pas à vivre », dit un monostiche. Un autre lui répond : « Dans les plus sombres yeux se ferment les plus clairs. » Le charme de Gala est de nature diabolique : « À maquiller la démone, elle pâlit. » Aux vers à la fois amoureux et plaintifs, trop lucides d'Eluard correspondent les dessins affolés de Max Ernst, une ronde de visages pointus, méchants, antipathiques. Elle ne s'en fâche pas et envoie même, dédicacé de sa main, à Jacques Doucet un exemplaire : *À Jacques Doucet, hommage respectueux de Gala Eluard* [34].

L'année suivante, à l'automne, Max Ernst rencontre une jeune fille de vingt ans, Marie-Berthe Aurenche, qui sort du couvent des Fidèles Compagnes de Jésus et est la fille du directeur de l'enregistrement auprès du tribunal de commerce. Scandale : le père crie au détournement de mineure. Max échappe de justesse aux services de police et s'enfuit avec Marie-Berthe sur l'île de Noirmoutier. Il faudra plusieurs mois aux amants pour arracher à ce père un consentement à leur mariage, qui aura lieu en 1927.

Parallèlement, la vie de Gala suit un cours monotone. Eluard donne son temps libre aux réunions et à la préparation des nombreux textes qui rythment la vie d'un surréaliste – textes de propagande et de définitions. Il n'a pas renoncé à sa vie de noctambule. Gala fuit la maison, sa fille et son mari. Elle s'invente des cures à suivre ici ou là, invoquant une mauvaise santé qu'elle avait oubliée. Ils cherchent des émotions nouvelles en dehors du cercle familial. Récente recrue du surréalisme, Man Ray, un peintre américain, accompagne souvent Paul et Gala à la foire de Montmartre. « Une fois, raconte-t-il, je m'aventurai sur les

« Gala apparaît puissante et terrifiante, avec son mystère indéchiffrable, opaque même à ses amants. »

---

33. « Un vieillard comme les autres » : texte d'Eluard pour *Un cadavre*, 18 octobre 1924.
34. Bibliothèque littéraire Jacques Doucet.

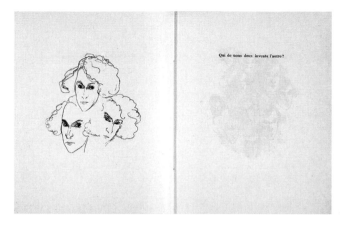

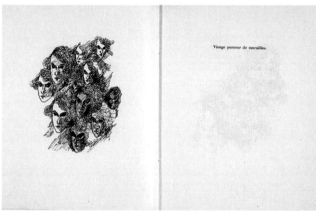

Pages intérieures
de *Au défaut du silence*
d'Eluard, illustré
par Max Ernst.

balançoires avec les Eluard. Nous fûmes projetés violemment les uns sur les autres et je me demandai un instant s'ils ne recherchaient pas là des sensations d'ordre physique, et non plus seulement cérébrales [35]. »

Eluard écrit :

La forme de ton cœur est chimérique,
Et ton amour ressemble à mon désir perdu.
Ô soupirs d'ambre, rêves, regards [36].

Le 3 mai 1927, Clément Grindel meurt, des suites d'une opération chirurgicale, à cinquante-sept ans. Avec la disparition du *pater familias*, Paul va gérer ses biens, et organiser sa vie comme il l'entend. Son père lui a en effet légué une fortune, il hérite du portefeuille d'actions et d'obligations. Il n'a plus besoin de travailler pour vivre. Cependant, sa santé se détériore. Une pleurésie évolue en pleurite rebelle et se fixe en un pneumothorax. Les médecins consultés ne laissent pas le choix au poète. Ils lui prescrivent un long séjour en sanatorium. Le spectre de la maladie s'empare de Paul au moment où sa fortune récente lui permettrait de profiter d'un temps dégagé des soucis et des contingences. Il va passer un an et demi, de novembre 1927 à mars 1929, au Parksanatorium d'Arosa, à mille huit cents mètres d'altitude, avec tout juste une permission d'un mois, à la mi-mars 1928. Le séjour le rendra à la santé, à condition de mener « une vie de repos ». Gala est une piètre garde-malade : tandis que Paul se soigne dans les Grisons, elle est tantôt à Paris et tantôt en voyage. Paul la laisse organiser son temps à sa guise, puisqu'elle a pris en horreur l'immobilité et le calme de ces villégiatures. Au printemps 1927, elle entreprend un voyage d'un mois à Moscou et à Leningrad. Paul lui envoie des messages passionnés qui ne trouvent que le silence. Rien n'a jamais filtré de ce voyage en Russie. Gala ne retournera pas en URSS.

Ses déplacements l'amènent le plus souvent en Suisse, dans la région des lacs dont elle apprécie le climat et probablement aussi les distractions des villes d'eaux : à Lugano, à Magadino, à Locarno, à Seelisberg, elle promène son nouveau genre. Car Gala, sur les photos, a beaucoup changé. Elle arbore de jolis tailleurs, façon couture, des corsages échancrés,

35.   Man Ray, *Autoportrait*, Laffont, 1964.
36.   *Au défaut du silence*, Œuvres complètes, op. cit., t. I, p. 166.

Gala vers 1929.

qui mettent en relief sa silhouette, et des accessoires de fourrure, étoles, paletots ou garnitures qui affichent la femme élégante, séduisante et raffinée qu'elle est devenue. À présent c'est Paul qui, tant qu'il est à Paris, s'occupe d'apporter chez la couturière ce qu'elle veut faire retoucher : elle a la manie des transformations, ajoute toujours un détail personnel à ses vêtements ou à ses chapeaux.

S'il aime assez flirter loin de Gala, il entretient en lui, pour lui, la flamme de l'amour éternel et irremplaçable qu'il voue à son épouse. « Je t'adore à l'égal de la lumière que tu es, de la lumière absente. » « Tout le reste n'est que passe-temps, lui déclare-t-il. Vous êtes ma grande Réalité, mon Éternité[37]. » Gala, elle, est instable et indifférente. « Je n'aime pas, je ne peux pas me faire à l'idée de ce que tu m'as dit dans ces derniers temps d'Arosa : que tu n'as pas de souvenirs, que tu n'aimes pas en avoir. J'ai mis toute ma vie dans l'amour que j'ai pour toi…[38] » La passion de son mari ne la comble plus comme autrefois. Insensiblement, elle s'éloigne et cherche le divertissement. Paul, triste, lucide et consentant, la regarde s'éloigner. « Je suis fatigué et triste, oui, vraiment triste, comme un vieux flacon vide et poussiéreux », avouait-il d'Arosa. « Profite de ta liberté, écrit-il. Il faut toujours abuser de sa liberté[39]. » Ainsi encouragée, Gala se lance dans des aventures. Lui entretient une liaison avec une Berlinoise qu'il a rencontrée dans le train et qu'il surnomme « la Pomme » – elle s'appelle Alice Apfel. Il ne manque pas d'informer Gala de ses amours de convalescent. « Puisque tu as B., ou d'autres qui viendront, lui écrit-il, je ne peux pas ronger mon frein dans la solitude. La Pomme, belle, agréable, soumise, est une sauvegarde pour moi[40]. » Il ne manque pas non plus d'associer son épouse, si souvent lointaine et si souvent absente, à ses fantasmes. Il ne cesse de lui redire qu'il ne pourra jamais se séparer d'elle. « Dans toutes les femmes, je ne trouve que toi : toute la Femme. »

Paul continue de cultiver ce penchant : « Mon cher amour, mon doux amour, lui écrivait-il en avril 1928, je viens de faire un rêve merveilleux, un de ces rêves de jour où les émotions physiques nous laissent au réveil toute la part du désir. […] J'étais étendu sur un lit à côté d'un homme que je ne suis pas sûr d'identifier, mais un homme soumis, rêveur depuis toujours et pour toujours silencieux. Je lui tourne le dos. Et tu viens t'allonger contre moi, énamourée, et tu me baises les lèvres, très doucement et je caresse sous ta robe tes seins fluides et si vivants. Et tout doucement, ta main par-dessus moi va chercher l'autre personnage et s'impose à son sexe. Je vois cela dans tes yeux…[41] » Eluard ne

« Eluard ne manque pas non plus d'associer son épouse, si souvent lointaine et si souvent absente, à ses fantasmes. Il ne cesse de lui redire qu'il ne pourra jamais se séparer d'elle. "Dans toutes les femmes, je ne trouve que toi : toute la Femme." »

---

37. *Ibid.*, p. 56.
38. *Ibid.*, p. 54.
39. *Ibid.*, p. 27.
40. *Ibid.*, p. 77.
41. *Ibid.*, p. 32.

tolère plus seulement les amours de Gala, il les encourage. Il s'intéresse à ses amants, il prend de leurs nouvelles, il est curieux du degré d'amour où elle les tient. À Cannes, peu après sa sortie du sanatorium, il lui a présenté un jeune poète, de ses admirateurs. André Gaillard est animateur, à Marseille, des *Cahiers du Sud*. C'est sur son impulsion que les *Cahiers* demandent leur collaboration aux poètes de Paris. Il a du panache ; ses arrivées en knickerbockers et chaussettes écossaises ne passent pas inaperçues. Lorsque les Eluard font sa connaissance, au printemps 1928, il vient de publier *Fond du cœur*, son premier recueil. L'inévitable scénario se reproduit alors : Paul pousse Gala dans les bras de Gaillard, puis il abandonne les nouveaux amants à leur hôtel pour filer en douce. Il adresse des petits mots à Gala : « Je t'aime. Toute mon affection à Gaillard. » Entre-temps, il aura le désir d'organiser une nuit à trois : « Comprends et fais-lui comprendre, écrit-il en juin 1929 à Gala, que je voudrais que nous te possédions parfois ensemble, comme c'était convenu [42]. »

Gala à Arosa en 1929.

Pris l'un et l'autre dans la tourmente et le désespoir, ils sont deux nomades. Cécile, qui va avoir dix ans, vit chez sa grand-mère, en pension complète. Paul a repris les habitudes de ses nuits blanches. Il va à Berlin. Il va voir René Crevel en Suisse, il emmène Cécile à Seelisberg... Il s'est enfin fâché avec Max Ernst. À cause de Marie-Berthe qui, lors d'un cocktail, a mal parlé de Gala. Le ton monte, Ernst lui décoche un coup de poing dans l'œil : « Argument de boxeur sur le plan surhumain où je nous croyais ! » « Je voulais qu'il répare sa goujaterie, ses saletés », avoue-t-il finalement. Gala ne supporte plus le cercle de famille. B. comme Gaillard ne font que passer. Elle s'est lassée très vite. Une photo la montre sur les genoux d'un homme non identifié, dans une posture câline. Elle n'est plus, comme elle l'avait rêvé jeune fille, la femme d'un seul homme. À Gaillard, victime de son charme, elle ne portera pas bonheur. « Reçu une lettre de Gaillard qui se plaint que cette histoire lui a fait beaucoup de mal » (juillet 1929). Elle n'aura passé avec lui qu'une saison. Quelques mois plus tard, le 16 décembre, André Gaillard tombera de la falaise de la Redonne à Marseille et se

---

42. *Ibid.*, p. 72.

« Eluard ne tolère
plus seulement
les amours de Gala,
il les encourage.
Il s'intéresse à ses
amants, il prend
de leurs nouvelles,
il est curieux
du degré d'amour
où elle les tient. »

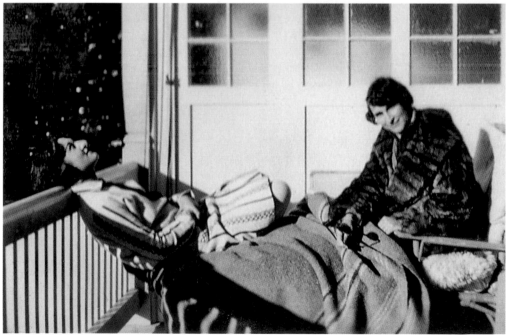

Gala vers 1929.

tuera. Gaillard, qui était malade et traînait une sombre mélancolie, laissera un testament, un recueil de poèmes : *La terre n'est à personne*.

Gala cherche un havre où se reposer entre tous ses voyages. Elle n'aime plus la maison d'Eaubonne, avec les Max Ernst sur les murs. Juste avant l'été 1929, Paul Eluard, préoccupé de ses continuels départs, loue un appartement de cinq pièces dans un des plus jolis quartiers de la butte Montmartre, 7, rue Becquerel : il le lui décrit comme un nid d'amour, calme, élégant et lumineux. Il veut l'aménager agréablement, se montre prêt à dépenser des sommes considérables pour le meubler. Mais les travaux sont lents, aussi compliqués que coûteux. Alors Paul et Gala vivent encore à l'hôtel, ensemble ou séparés. À ce rythme, avec cette fringale de confort, de plaisirs et cette belle insouciance, la fortune de Clément Grindel est vite entamée. La crise de 1929 va diminuer la valeur de leur portefeuille en Bourse. Il ne saura pas y faire face, ni gérer son héritage. Quelques placements malencontreux achèveront de grever le million. Sur un ton las, sans regret de tout cet argent si largement, agréablement dépensé, il livre d'ores et déjà cette consigne pour l'été 1929 : « Il nous faudra un endroit très bon marché… »

Quelques mois auparavant, Paul était allé au bal Tabarin, où Goemans, un poète belge qui a une galerie, rue de Seine, lui avait présenté un jeune peintre espagnol. Le jeune homme lui paraît timide et même effarouché. Pourtant, assez brutalement, d'une voix marquée par un terrible accent, il les invite aussitôt, Goemans et lui, à venir le voir dans son atelier, à Cadaqués. Goemans, qui s'apprête à exposer les toiles de ce débutant et qui vante déjà partout son talent, vient fort à propos de rappeler à Paul l'invitation. Gala se laisse convaincre. Ils emmèneront Cécile : des vacances familiales, au soleil de la Méditerranée, leur feront à tous le plus grand bien. Heureux de la retrouver – « tu es ma petite, ma belle, ma fine et voluptueuse et géniale Gala[43] » –, il lui adresse ce message, juste avant de partir : « Nous avons voulu ce que tu feras – de toute façon[44]. »

« Gala se laisse convaincre. Ils emmèneront Cécile : des vacances familiales, au soleil de la Méditerranée, leur feront à tous le plus grand bien. "Nous avons voulu ce que tu feras – de toute façon." »

---

43. *Ibid.*, p. 75.
44. *Ibid.*, p. 78.

Gala vers 1929.

p. 112-113 : Quelques pages de l'album photo de Gala.

113

UNE EXILÉE
À LA RECHERCHE
DE SON SOLEIL

LA ROUTE DES VACANCES

La route, étroite, grimpe entre les collines couvertes de garrigues. La dernière étape est aussi la plus longue en apparence, et la plus escarpée. Le village est désert, il s'éveille en fin d'après-midi, quand les vieilles Catalanes viennent s'asseoir sur les murets de pierre pour coudre les filets. Les vieux se rassemblent au café ou devant leur porte, ils discutent et ils fument. Le soir, les pêcheurs s'en vont, avec des lamparos, chercher au large les poissons, que les femmes vendront demain à Rosas, un gros bourg à trois heures de marche du village.

Lorsque Paul et Gala, avec Cécile, arrivent à Cadaqués, au cœur de l'été catalan, ils s'installent à l'hôtel Miramar où les ont précédés les Magritte et les Goemans. Camille Goemans a déjà exposé, dans sa galerie de la rue de Seine, Hans Arp et Yves Tanguy. Il parraine les débuts de René Magritte, venu peindre à Cadaqués dont les couleurs l'ont conquis. Eluard, qui ne le connaissait pas, lui achètera quelques tableaux. L'enfant du pays, celui qu'on

La maison de pêcheur de Dalí et Gala à Port Lligat dans les années 1930.

est venu rencontrer, s'appelle Salvador Dalí. Il s'avance en sautillant d'une démarche aussi peu naturelle que son costume : dandy à la mise apprêtée, extravagante, il a une allure efféminée qui lui vaut d'être traité de *maricón* (de *marica*, « femmelette »). Né en 1904, il a vingt-cinq ans. Il est timide et renfermé. Lui-même écrira qu'on le prenait alors pour « un crétin inintelligent[1] ». Quand il parle, il jette en phrases courtes quelques vérités ou bizarreries provocantes, à seule fin d'étonner. Sa voix est rauque et sonnante, avec un accent de pierres qui roulent. Tandis que les autres bavardent et font connaissance, il boit du Pernod, regarde d'un air sauvage autour de lui et, tout à coup, sans que personne en comprenne la raison, il éclate de rire. D'un rire si violent qu'il ne peut plus s'arrêter et, à la stupéfaction générale, il se jette à terre, possédé par l'hystérie. Interrogé, il dit qu'il imagine un petit hibou qui serait posé sur la tête de l'un ou de l'autre, collé à son crâne par un excrément ! Ses hôtes sourient par politesse, inquiets pour sa santé mentale. Gala, déjà fatiguée et maussade – Dalí notera sa « mauvaise humeur » –, le juge au premier abord « insupportable » et « antipathique[2] ». C'est à se demander ce que Goemans peut bien trouver à cet énergumène qui cache si bien son génie. Lui au contraire n'a vite d'yeux que pour elle.

Chaque jour, le groupe retrouve Dalí sur la plage. Il leur fait découvrir les beautés de sa région. Sur les chemins arides, il est agile,

1. Salvador Dalí, *La Vie secrète de Salvador Dalí*, La Table ronde, 1953, p. 193.
2. *Ibid.*, p. 175.

« L'enfant du pays, celui qu'on est venu rencontrer, s'appelle Salvador Dalí. Il est timide et renfermé. »

p. 114
Gala, à Torremolinos (Espagne) en 1930.

Gala, Paul et Cécile,
chez Dalí en 1929.

infatigable. Dans la mer, il est encore dans son élément. Ici, il habite chez ses parents, dans une maison à l'écart du village, sur la Playa d'es Llaner où sa famille passe traditionnellement l'été. Son père est notaire à Figueras. C'est là que Salvador est né et qu'il est allé à l'école primaire : indomptable, il n'y a laissé que le souvenir d'un cancre, un insupportable fils à papa. Le père de Dalí est un de ces Catalans purs et durs, un homme haut et carré, habillé comme un bourgeois, rude comme un paysan, avec un sens du devoir et de la famille. Sous des dehors sévères, c'est un bon vivant. Son fils raconte qu'un jour, tourmenté par une effroyable rage de dents, il se serait levé de table, les larmes aux yeux, criant : « Je veux bien souffrir ainsi toute ma vie à condition de ne jamais mourir ! » La mère de Dalí, qu'il vénérait, est morte d'un cancer en 1921. Sa disparition est une telle blessure qu'il est incapable d'évoquer son souvenir. Salvador Dalí a une sœur cadette, Ana Maria, son principal modèle. Alors qu'il est entouré d'affection, un vieux cauchemar le ronge cependant : avant lui, ses parents ont eu un fils, mort d'une méningite à l'âge de sept ans et qui s'appelait déjà Salvador Dalí. Il a le sentiment d'être le jumeau vivant de ce frère mort neuf mois avant sa propre naissance, son double et son usurpateur. L'obsession de la mort, une morbidité constante qui marque ses gestes quotidiens, est la conséquence la plus visible de cette culpabilité qu'il aime assez raconter.

Dans sa famille, Salvador est le roi. Son atelier, dans la maison familiale, est sacré. Personne, pas même son père, ne l'y dérange.

Et on admire tout ce qu'il peint. Rebelle à toute instruction, il a du dessin et des couleurs une connaissance innée, mais qu'il a approfondie, améliorée en travaillant beaucoup, tout seul, en dessinant chaque jour, depuis qu'il a dix ou onze ans. Un ami de ses parents lui a ouvert la voie en lui montrant ses toiles, Ramon Pitxot. De cette découverte date sa vocation : rien d'autre que la peinture depuis lors ne l'a intéressé.

Lorsque les Eluard, avec Goemans et Magritte, pénètrent cet été-là dans l'atelier de Salvador Dalí, une grande toile est sur le chevalet. Paul l'observe longuement et lui trouve aussitôt un titre : *Le Jeu lugubre*. Pour Eluard, la preuve est faite qu'ils sont en présence d'un authentique artiste, dont l'œuvre, si elle tient ses promesses, est à venir. Dalí, enchanté, fait poser Paul pour un portrait qu'il lui destine.

Dalí a suivi les cours de l'école des Beaux-Arts à Madrid, d'où il a été expulsé pour cause de mauvais esprit et de rébellion. Mais il ne partage pas l'opinion des artistes modernes, il vénère les grands peintres : Goya, Vélasquez, tous les impressionnistes et même Meissonier. Il a passé des heures à les copier. Il aime la tradition, considérant la technique comme l'outil indispensable et transmissible des génies. Aux Beaux-Arts, il reprochait à ses professeurs leur incompétence, il n'a jamais voulu leur obéir. Il a choisi ses maîtres. Autodidacte, il a étudié son art avec un soin maniaque. Il n'est pas tout à fait inconnu, il a exposé ses toiles à deux reprises à la galerie Dalmau qui est, à Barcelone, l'un des centres de l'avant-garde. Cette avant-garde a sa revue, publiée à Sitges, à laquelle il collabore, *L'Amic de les Arts* : il y a donné des poèmes et des articles sur l'esthétique. À Cadaqués, sa solitude et son style de vie plutôt sauvage ne l'empêchent pas de suivre avec passion toutes les manifestations artistiques contemporaines, qu'elles se produisent à Madrid, à Barcelone ou en France.

Parmi les artistes, il a au moins deux amis, à la brillante personnalité, deux Espagnols de sa génération, l'un né en 1898, l'autre en 1900. Il les a connus à la résidence des étudiants, quand il était à Madrid. Le premier est andalou : Federico García Lorca. Fils d'un grand propriétaire des environs de Grenade, d'une élégance, d'un rayonnement, d'un charme qui le font aussitôt aimer, c'est un poète investi de tous les dons. Il récite ses vers en s'accompagnant à la guitare ou au piano, et met en scène les comédies qu'il imagine sur le théâtre de marionnettes dont il ne se sépare jamais. Il a même composé une ode à son ami, sur un ton quelque peu ambigu.

> *Ô Salvador Dalí à la voix olivâtre !*
> *Je dis ce que me dit ta personne et ton œuvre.*
> *Plus que ton imparfait pinceau adolescent*
> *je loue la direction si ferme de tes flèches.*
> *[…]*
> *Je chante aussi ton cœur astronomique et tendre* [3].

Salvador a dessiné les costumes et les décors de *Mariana Pineda*. Et Lorca vient à plusieurs reprises en vacances à Cadaqués, où il courtise tour à tour la sœur et le frère. Avec Lorca, Dalí est brouillé depuis qu'il lui a envoyé une lettre d'une violence inouïe, d'une méchanceté gratuite à propos de la parution du *Romancero gitano*, œuvre dont il lui écrit qu'elle est « rétrograde, stéréotypée, banale et conformiste ».

Son second grand ami est Luis Buñuel. Il a la tête bourrée de projets. Et une énergie qui soulève les montagnes. Il veut « faire du cinéma »,

« Parmi les artistes, il a au moins deux amis, à la brillante personnalité, deux Espagnols de sa génération, Federico García Lorca et Luis Buñuel. »

---

3.   *Ode à Salvador Dalí*, traduite par André Belamich, dans les *Œuvres poétiques complètes*, Bibliothèque de la Pléiade, Gallimard, p. 456 à 458.

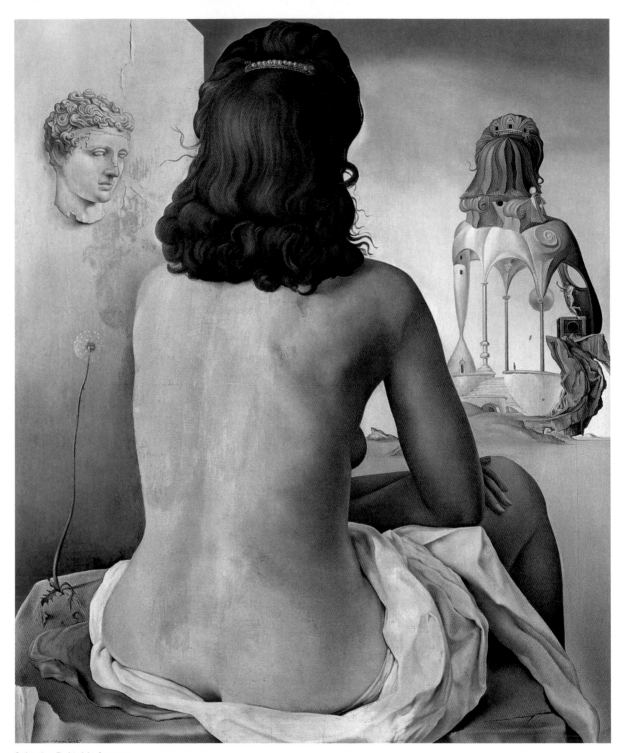

Salvador Dalí, *Ma femme nue, regardant son propre corps devenir marches, trois vertèbres d'une colonne, ciel et architecture*, 1945, huile sur bois, 61 × 52 cm, collection particulière.

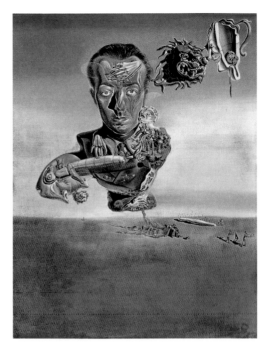

Salvador Dalí,
Portrait de Paul Eluard,
1929, huile sur toile,
33 × 25 cm, collection
particulière.

et vient précisément de réaliser, avec Salvador, un premier film dont le tournage a eu lieu cette année même à Paris : *Un chien andalou*. L'acteur principal, Pierre Batcheff, a défrayé la chronique en se donnant la mort le dernier jour du tournage. Le film n'a pas encore été présenté au public mais tout le monde en parle comme s'il l'avait déjà vu. Buñuel vient de rejoindre Dalí et le groupe des Parisiens à Cadaqués. Il se mêle à leurs balades, à leurs baignades, à leurs conversations, mais il est vite déçu : venu dans l'intention de préparer avec Salvador leur prochain scénario, il ne parvient pas à l'arracher à son obsession – Gala. Exaspéré, Buñuel a même, dira-t-il [4], une furieuse envie, parfois, d'étrangler la jeune femme. Il repartira furieux, bredouille. « Si j'avais pu, se souvient Dalí, j'aurais enlevé et remis mille fois ses souliers à Gala [5]. »

LE CHARME
DU JEUNE HOMME INCERTAIN

La gloire de Dalí n'est en 1929 qu'un pari audacieux. En effet, si Picasso a déjà relevé le tracé sûr et l'imagination de ce débutant, et a honoré de sa présence sa première exposition à la galerie Dalmau où il a contemplé longtemps le tableau d'une femme vue de dos dont le modèle était Ana Maria, si Joan Miró a pris lui aussi la défense de son compatriote à Paris où il l'a recommandé à quelques marchands et mécènes, Dalí n'est encore connu que d'initiés et peu de gens apprécient son talent. Pierre Loeb, par exemple, galeriste réputé pour être un découvreur d'artistes, a fait la moue devant ses toiles et lui a conseillé avec condescendance de ne venir les lui présenter que dans quelques années.

Fils d'un notaire de province cossu, Salvador mène une vie agréable mais monotone et sans faste, rythmée par des bains dans l'eau claire, des repas frugaux et des balades sur les rochers nus du cap Creus, tout entière consacrée à la peinture. Pécuniairement dépendant de son père, gâté, protégé, il vient cependant de rapporter, à la stupéfaction des siens, son premier contrat : Camille Goemans le lui a fait signer sous l'œil vigilant du chef de famille. Trois mille francs doivent lui revenir en échange de sa production estivale, qui sera exposée à Paris dès l'automne.

Gala n'a pu voir un atout dans la virilité ambiguë de cet individu. « De ma vie encore, je n'avais fait l'amour, écrit-il. Cet acte me paraissait d'une terrible violence, disproportionnée avec ma vigueur physique,

---

4.   Dans *Mon dernier soupir*, mémoires de Luis Buñuel, Laffont, 1982, p. 116.
5.   *La Vie secrète de Salvador Dalí*, *op. cit.*, p. 178.

cela n'était pas fait pour moi[6]. » «Avant de connaître Gala, racontera-t-il encore, j'étais persuadé d'être un impuissant. En me baignant, j'avais regardé les sexes de mes camarades et constaté tristement qu'ils étaient tous plus grands que le mien. En outre, j'avais lu un roman férocement pornographique dans lequel le Casanova de service racontait qu'en s'enfonçant dans la femme, il l'entendait craquer comme une pastèque ! Immédiatement je m'étais dit : "Tu es certainement incapable de faire craquer une femme comme une pastèque[7]." » Dès leur première rencontre, Gala exerce sur Dalí une attirance physique nouvelle : «Le creux du dos était extrêmement féminin et liait avec grâce le torse énergique et fier aux fesses très fines que la taille de guêpe rendait encore plus désirables[8]. » Gala ranime un ancien et obsédant fantasme, qui a sur lui un extraordinaire pouvoir d'excitation. Avant de la connaître, il est sûr de l'aimer : depuis toujours, il fait ce rêve étrange d'une petite fille anonyme qu'il adore, en manteau de fourrure, dans un traîneau qui glisse sur la neige.

Dalí et Gala
dans les années 1930.

C'est Eluard qui, une fois de plus, envoie Gala vers son destin. C'est lui qui lui demande d'aller parler à Dalí seule à seul : le groupe veut savoir si Dalí est coprophage ou si les pantalons souillés du *Jeu lugubre* ne sont pas plutôt une manière de choquer le bourgeois. Gala obéit. Elle part se promener avec le peintre, elle le questionne : «Si ces choses correspondent à votre existence, je suis en désaccord vital avec vous parce que cela me paraît – à ma vie à moi – horrible[9]. » Dalí devra jurer que la scatologie, comme le sang et les sauterelles, est un élément de sa terreur personnelle pour que Gala, toujours distante et hautaine, daigne poursuivre la promenade. «Cette chair si réelle, si proche de la mienne, m'empêchait de parler », raconte Dalí. C'est durant ces heures passées à marcher, à nager tous les deux, à rêver en silence, que le charme naît et que Gala, sur une impulsion soudaine, prend la main de Salvador : «Mon petit, nous n'allons plus nous quitter. »

Seul Dalí a donné une version de cette première rencontre. Il racontera son coup de foudre, comment de la seule vue de ce visage crispé et peu avenant, dont l'air de fierté et de mépris l'a aussitôt fasciné, est né le sentiment d'une adoration. «C'était Elle. Galutchka Rediviva. Je venais

« Dès leur première rencontre, Gala exerce sur Dalí une attirance physique nouvelle. »

6.   *Ibid.*, p. 188.
7.   Louis Pauwels, *Les Passions selon Dalí*, Denoël, 1968, p. 66.
8.   *La Vie secrète de Salvador Dalí*, op. cit., p. 178.
9.   *Ibid.*, p. 180.

Dalí et Gala
dans les années 1930.

de la reconnaître à son dos nu. Son corps avait une complexion enfantine, ses omoplates et ses muscles lombaires cette tension athlétique un peu brusque des adolescents. » Il essaie désespérément de lui plaire, tandis que pour Gala plane longtemps sur cet été de Cadaqués une morne impression d'agacement. Peu à peu, avec ses bizarreries, sa candeur, ses manières de chat sauvage, il finit par l'amadouer.

Pour Gala, cet été-là marque d'abord la fin d'une histoire. Le désir de mettre un terme à une union conjugale devenue terne et languissante s'épanouit sur ces plages où elle fugue en toute liberté, laissant Paul au groupe de ses amis et à ses discussions. Elle n'a jamais été si belle : mince et bronzée, vigoureuse, elle éclate de santé. « Le corps de Gala, dit Dalí, me semblait fait d'un ciel de chair, couleur de muscat doré. » Gala veut se sentir indispensable. Elle retrouve à Cadaqués une vocation qu'elle croyait perdue : elle va avoir à nouveau un homme sous sa coupe, un artiste, à qui elle va pouvoir se consacrer, offrir son temps, son énergie.

Grimpant sur un rocher à pic au-dessus de la mer, Salvador Dalí lui donne son premier baiser. « Je baisai ses lèvres qui s'entrouvrirent. Je n'avais encore jamais embrassé ainsi, profondément, et j'ignorais qu'on pût le faire. D'un seul élan, tous mes Parsifal érotiques se réveillèrent sous les secousses du désir dans ma chair longtemps tyrannisée. Et ce premier baiser où nos dents s'entrechoquèrent et nos langues se mêlèrent n'était que le début de cette faim qui nous poussait à mordre et manger jusqu'au fond de nous-mêmes. » Au comble de l'excitation, Dalí implore : « Que voulez-vous que je vous fasse ? » Et Gala, sachant bien qu'elle commence une nouvelle vie, lui aurait alors répondu : « Je veux que vous me fassiez crever. »

LE CHOIX DE GALA

Le choix de Gala est brutal : il laissera longtemps Paul Eluard pantois puisque, deux ans plus tard, si l'on en croit ses lettres, il en sera encore à espérer le retour d'une épouse capricieuse et fantasque. Elle est au contraire sûre d'elle et machiavélique : cet été-là, sans aucun plan mais avec l'intuition de son rôle à venir, elle joue son va-tout. Tout en ménageant la susceptibilité de Paul, elle décide de prolonger son séjour à Cadaqués. Une paratyphoïde de Cécile est un prétexte tout trouvé : tandis que tous regagnent Paris, elle prétend rester comme garde-malade. Mais, n'ayant ni la patience ni la vocation d'une infirmière, elle fuit l'hôtel Miramar pour rejoindre Dalí sur le front de

Dalí et Gala
dans les années 1930.

mer et l'accompagner dans ces promenades qui sont devenues amoureuses. La Parisienne à la coiffure ordonnée, aux ongles laqués de rouge, aux robes très couture et escarpins assortis laisse la place à une sauvageonne musclée, en short ou simplement en chemise, portant des sandales de corde.

Leurs séparations, désormais, ne seront plus qu'intermittentes. Gala finit par rentrer à Paris où un reste de devoir conjugal l'appelle – « Je pensais qu'elle m'apprendrait l'amour et qu'après je serais de nouveau seul comme je l'avais toujours désiré[10] », avoue Salvador –, mais Goemans a prévu l'exposition de son poulain pour la fin novembre. Ils seront séparés deux mois à peine. Tandis que Gala, cuivrée, radieuse, qui ramène à Paris une petite fille pâlotte et amaigrie, prend pour la première fois le train à Perpignan, Dalí s'enferme dans l'atelier où il renoue avec sa vie monacale. Il achève le portrait d'Eluard, ainsi qu'une grande toile aux symboles provocateurs : une tête livide dont l'immense nez s'appuie par terre comme une béquille et dont la bouche est une sauterelle au ventre en décomposition, *Le Grand Masturbateur*.

Gala à Cadaquès en 1931.

À peine arrivé à Paris avec une collection de toiles et de dessins soigneusement emballés, il envoie des roses rouges rue Becquerel où les Eluard ont enfin emménagé, retrouve Gala et s'enfuit avec elle deux jours avant le vernissage, sans avoir pris seulement la peine de vérifier l'accrochage de ses tableaux. Cette escapade romantique en étonnera plus d'un : Camille Goemans est indigné par la désinvolture de ce jeune peintre qui semble bouder ses éventuels acheteurs ; André Breton, qui a accepté d'écrire la préface du catalogue, et le groupe de ses amis poètes semblent agacés par le comportement de Gala, mais Eluard pour sa part ne veut croire qu'à un caprice. À l'exposition, il montre un visage calme et n'affiche aucune amertume. Quoi qu'il en soit, du 20 novembre au 5 décembre 1929, admirateurs et contempteurs vont débattre de l'art de Salvador Dalí, en son absence, tandis qu'il file le parfait amour près de Barcelone.

Gala revient en effet à Paul, pour Noël, et Dalí retourne à Figueras où sa famille tient ses quartiers d'hiver. Il y arrive tel un paon, paré de son nouveau prestige : Goemans a eu beau s'inquiéter, il a vendu presque toutes les toiles exposées et le vicomte de Noailles en personne a acheté à un prix fou *Le Jeu lugubre*, devant lequel André Breton, à cause du thème scatologique, prenait un air pincé. Mais ce ne sont pas des félicitations qui l'attendent en Catalogne. Luis Buñuel est présent le soir où

---

10. *Ibid.*, p. 191.

Le groupe surréaliste
photographié par Man Ray
vers 1930.

Salvador Dalí, *Parfois
je crache par plaisir
sur le portrait de ma mère
(Le Sacré-Cœur)*, 1929,
encre sur toile de linon gris
collée sur carton,
68,3 × 50,2 cm.

le père de Salvador, noir de colère, adresse à son fils, en guise d'accueil, le plus terrible des sermons. Il commence par lui reprocher cette liaison honteuse dont tout le monde parle, avec une femme mariée assez délurée pour s'afficher au village et nuire à sa réputation. Il pense qu'elle l'entretient comme un gigolo et que leur différence d'âge n'est qu'une preuve de vice. Buñuel racontera comment, le ton montant avec les menaces, Dalí père, hors de lui, finira par mettre à la porte le fils coupable et lui interdire à jamais l'accès de sa maison. C'est qu'il a en vérité un autre grief. Par les critiques d'*El País*, il a eu vent du scandale de l'exposition : sur son dessin du *Sacré-Cœur*, ce fils aimant, porteur de tous ses espoirs, avait inscrit « Parfois je crache par plaisir sur le portrait de ma mère ». Comme Dalí, entêté, refusait de s'expliquer, furieux, il l'a déshérité. Dalí, le fils maudit, se rase le crâne puis quitte les siens. Buñuel plaidera en vain pour qu'il reste, mais Dalí n'a plus qu'une idée en tête : aller chercher Gala.

    À Paris, il prend le temps de faire connaissance avec le groupe qui se nomme désormais « surréaliste ». Ses membres demeurent sceptiques devant sa personnalité de paranoïaque, qui a peur de traverser la rue, pousse des hurlements à l'idée de prendre le métro, n'a aucun talent pour la conversation et ne sait que lancer, au milieu des dialogues les plus passionnants, des déclarations abracadabrantes ou des éclats de rire stupides qui ont le don d'exaspérer André Breton. D'une timidité maladive, il pose cependant à leurs côtés devant le Kodak de Man Ray : maigre et pâle, les épaules étriquées, les pieds en dedans, la moustache triste, il ne laisse rien deviner de la star aux poses ostentatoires qu'il sera un jour. Il est encore tellement en deçà de son image que personne n'est convaincu de l'ampleur de son talent. C'est Gala qui, palliant sa gaucherie, va se charger de chanter ses louanges. À Cadaqués, il lui a montré des bribes de textes, en prose ou en vers, dont elle s'est emparée. Elle lit à voix haute, dans les cafés où il lui arrive de rejoindre le groupe, avec son accent russe, ces textes hétéroclites. Mais Dalí, dans le contexte parisien, n'est pas à l'aise. Gala l'emmène à Carry-le-Rouet, près de Marseille. Ils ont loué deux chambres à l'hôtel du Château. L'une est l'atelier de Salvador : il y peint *L'Homme invisible*. Réunissant les textes épars de Cadaqués, elle lui a donné l'ambition d'en faire un roman qui sera un contrepoint au tableau : *La Femme visible*. Ils vont rester deux mois sans sortir de l'hôtel du Château. « Pendant cette *closura* volontaire, je connus et consommai l'amour avec le même fanatisme spéculatif que pour mes travaux », dira Dalí.

    Il n'a cependant, très vite, qu'une obsession : rentrer à Cadaqués. Sans même remonter à Paris, où Eluard commence à se ronger les sangs, Gala et Salvador reviennent au village qui se révèle d'abord un lieu hostile : les portes de la maison paternelle leur sont fermées, le propriétaire de l'hôtel Miramar refuse de les héberger, la bourgeoisie locale fait semblant de ne pas reconnaître Salvador. Refusant de

« Dalí n'a plus qu'une idée en tête : aller chercher Gala. »

déserter sa patrie, Dalí trouve un refuge à la sortie du village, à deux kilomètres, dans une anse qui sert de dépôt aux pêcheurs. C'est Port Lligat, une crique serrée dans les collines qui l'enclosent comme une prison. La veuve d'un marin leur cède sa bicoque. Une pièce de quatre mètres sur quatre, avec un réduit contigu qui pourra peut-être un jour servir de cuisine. Il y a là de l'eau qu'il faut pomper au puits, mais ni chauffage ni électricité. Pourtant, de cette baraque de planches ils vont faire leur maison.

Il fait froid sur Port Lligat. Les journées sont sèches et rudes sous la lumière d'un hiver qui colore d'acier la Méditerranée. La nuit tombe vers quatre heures, tandis que, malgré des feux de bois, Gala grelotte et tousse, victime d'une mauvaise fièvre. Elle reste longtemps malade, au point d'affoler Eluard qui la supplie de rentrer à Paris et de partir se soigner en Suisse, ou du moins à la montagne. Mais Dalí l'emmène en Andalousie où le soleil lui rendra la santé. À Torremolinos, à une quinzaine de kilomètres de Málaga, un ami madrilène les héberge et, en échange d'un tableau, règle les frais de leurs vacances. « Ce furent nos noces de feu, écrira Dalí, nous devînmes aussi bronzés que des pêcheurs, Gala qui avait l'air d'un gamin brûlé par le soleil se promenait la poitrine nue. » C'est une Gala sûre d'elle qui va revenir rue Becquerel, tenant la main de Dalí, qu'elle a convaincu de la nécessité de renouer avec la capitale, non pour s'y installer mais pour y rassembler un pécule et en repartir aussi vite que possible pour vivre à Cadaqués. Chez eux, dans la maison dont ils ont, en partant, confié la réfection à un menuisier du village.

À Paris, ils forment un ménage. Paul est évincé : il leur abandonne l'appartement qu'il a mis tant de soin, tant d'amour à décorer, pour s'en aller habiter seul un modeste studio de la rue Blanche. Mais Gala a d'autres soucis, il s'agit de survivre, de pouvoir manger chaque jour, de payer le cinéma, sa seule distraction, et la gouache ou les huiles de Dalí. Ils mettent de côté le peu qu'ils gagnent pour améliorer la maison catalane qui les attend, à peine habitable. Salvador peint tout le jour, dans le salon de la rue Becquerel. Il vit enfermé, attendant pour sortir que Gala vienne le chercher. Elle part après le déjeuner, un carton sous le bras : elle va visiter les galeries, courant la capitale d'un arrondissement à l'autre, pour tenter de vendre quelques toiles ou au moins quelques dessins. Mais les résultats sont maigres. Le soir, épuisée, découragée, elle doit encore s'occuper du ménage et de la cuisine, et de surcroît réconforter Dalí, lui rendre le moral pour qu'il continue à peindre. Sa peinture est leur seule ressource possible. Ils refusent cependant la bohème et vivent en marge du groupe des surréalistes. « Notre

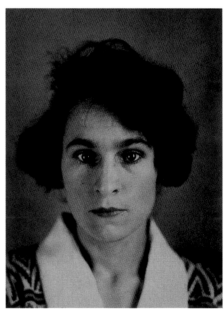

La Femme visible, roman de Salvador Dalí paru en 1930, et le portrait de Gala utilisé pour celui-ci.

Gala, Dalí et René Char
à Cadaquès.

En bas à gauche :
Camille Goemans,
son épouse, Dalí et Gala
à Cadaquès, 1929

En bas à droite :
Gala, Dalí, Manuel
Altolaguirre et Emilio
Prados à Málaga en 1930.

force, à Gala et à moi, était de vivre hygiéniquement, toujours seuls tous les deux [11]. »

Jamais Gala ne se sera débattue à ce point contre les soucis d'argent, jamais elle n'aura consacré tout son temps à s'occuper d'un homme, que le quotidien étonne et qui, incapable d'affronter l'organisation matérielle, dépend d'elle comme un enfant. Le salut des Dalí viendra du vicomte de Noailles. Il leur adresse un chèque de vingt-neuf mille francs en échange d'un tableau futur. Leur permettant de rentrer enfin au village indispensable. Gala, sans hésiter, va renoncer à la vie citadine à laquelle autrefois elle trouvait tant de charme, pour s'exiler au bout du monde, dans cette Catalogne si peu frivole où l'attend, au bord de l'eau, adossée à un maquis, une cabane en bois.

DÉLICES
DE L'ÉTÉ CATALAN

La gare de Perpignan, première escale de leur longue route, est à mille kilomètres : toute une nuit de train est nécessaire pour traverser la France. Pour les Dalí, le voyage ne fait que commencer. Ils doivent attendre la micheline qui leur fera franchir les derniers villages français avant de prendre un taxi. On les croirait opérant quelque déménagement inouï, tant ils sont environnés de malles, de valises et de paquets. Dalí transporte en effet tous ses trésors : ses boîtes de couleurs, son chevalet à coulisse, ses toiles soigneusement emballées, ses collections d'insectes et de cartes postales. Gala, avec sa garde-robe, ses livres et son vanity-case bourré de médicaments, emporte avec elle des meubles de la rue Becquerel : des chaises, de petites tables en chrome, un miroir. Sur le quai, le couple forme l'attraction. Au milieu de tous ces bagages qu'il faut à chaque étape rassembler, compter et faire transporter, Dalí sautille, interpelle le porteur, agite nerveusement une canne avec laquelle il opère de dangereux moulinets. Gala est au contraire imperturbable. Sobre et efficace, concentrée sur sa tâche, elle donne des ordres, surveille et vérifie. Sur le port, ils feront également sensation. Car il est impossible à une voiture d'atteindre Port Lligat : il n'y a qu'un chemin de chèvres rocailleux. Dalí, qui connaît tout le monde, trouve un pêcheur qui accepte de les transporter, avec une partie de leur chargement, dans sa barque – le reste les rejoindra plus tard, à dos de mulet. Il faut alors débarquer en sautant dans l'eau, car il n'y a pas de quai, rien qu'une plage. Dalí retrousse son pantalon jusqu'aux genoux, il jette ses chaussures au sec et, plongeant ses jambes dans la mer, éclate

---

11. *Ibid.*, p. 229.

d'un rire joyeux. Gala le suit : elle n'est pas plus empruntée que lui. Ôtant ses escarpins et ses bas, elle roule sa jupe jusqu'aux cuisses pour aider Dalí et le pêcheur à décharger la barque, puis monte vers sa maison, des paquets à bout de bras.

Le menuisier a bien travaillé, la baraque est devenue habitable. Le toit a été refait, les murs ont été maçonnés, et dans le réduit sont installés une douche et des cabinets. Pour l'eau potable, il faut encore pomper au puits. À l'intérieur, il n'y a toujours pas d'électricité, mais Gala a pensé à apporter de Paris des lampes à pétrole. Gala aide Dalí à installer ses toiles et, vaille que vaille, la minuscule et unique pièce qui leur sert de logis se transforme en salon-chambre-cuisine-atelier. Au contraire des villageois, les pêcheurs accueillent avec bienveillance ces amoureux presque aussi pauvres qu'eux et qui savent adopter aussitôt leur façon austère de vivre. L'homme, un enfant du pays, connaît leurs traditions. La femme, vêtue très simplement, n'a peur ni de la mer où elle se baigne nue, ni des tâches coutumières des femmes : on la voit transporter ses affaires, aller chercher du bois, frotter son linge dans des baquets de fortune, et même laver à grande eau le sol de la baraque aménagée. À Port Lligat, chacun gère sa vie comme il l'entend, loin des ragots du village. Reconnaissant, devenu l'ami de ces gens qui ont su respecter la liberté de Gala comme la sienne, Dalí les décrira « noblement distants, attendant en face l'heure de la mort, les ongles noirs de tripes de poissons, les pieds durcis par un cal couleur d'absinthe[12] ». À moins de deux kilomètres, de l'autre côté de leur colline, tout au bout du village, se dresse la maison de son père.

En haut :
Gala, Dalí, Nusch
et Paul Eluard à Cadaquès
en 1930.

En bas :
Dalí et Gala dans leur
maison de Port Lligat
vers 1931.

Les Dalí ne se rendent à Cadaqués, dernier refuge de la civilisation, qu'en barque, pour s'y approvisionner en produits qu'ils ne trouvent pas sur place. Mais ils peuvent rester des jours et même des semaines sans y retourner. Ils se nourrissent principalement de poissons et de crustacés : des soles, des sardines ou des langoustes, prises dans la nuit, que les pêcheurs leur vendent à peine sorties du filet. Ils pêchent souvent eux-mêmes, parmi les rochers, de gros oursins à la chair bleue dont

12. *Ibid.*, p. 235.

Dalí et Gala
dans les années 1930.

Salvador fait son régal. La nourriture qui ne vient pas de la mer, ce sont les femmes des pêcheurs qui la leur apportent : des œufs ou une volaille de leur poulailler, des salades, des tomates ou des fèves de leur potager. Elles leur vendent aussi du pain et des saucissons, que Gala stocke dans la pièce, au milieu des couleurs.

Le matin, Salvador peint tantôt à l'intérieur, tantôt à l'extérieur, selon son humeur, tandis que Gala prépare le déjeuner, écrit ou lit à ses côtés. La sieste est un rite : ils la font ensemble, à l'ombre ou au lit. Puis Salvador se remet au travail, Gala s'en va rôder dans les garrigues ou bien nager pour explorer les criques. Dalí la rejoint plus tard. D'étranger qu'il était, le royaume catalan devient intime et laisse peu à peu sur elle son empreinte. Un air de santé, une beauté nouvelle auréolent Gala, qui se détend et apprend à sourire. Le soir, Port Lligat est désert. Les pêcheurs sont partis en mer. Gala et Salvador Dalí s'enferment chez eux. On entend parfois crisser devant leur porte le pas des fils de Lydia, deux fous qui ne sortent que le soir et transportent on ne sait où de la terre pour cacher un trésor. Le dîner achevé, Dalí reprend son travail. Gala s'occupe près de lui. « Si je ne dormais pas, se souvient Dalí, elle ne se couchait pas et suivait mon travail avec plus d'intensité encore que moi-même. » La lampe à pétrole reste allumée tard dans la nuit, c'est la seule lumière de Port Lligat, tandis que clignotent au large les lamparos sur les embarcations des pêcheurs.

FURTIVE ENTRÉE EN SCÈNE DE NUSCH

Lorsque paraît en librairie, en 1929, *L'Amour la poésie*, Eluard le dédie encore à Gala : « À Gala, écrit-il, ce livre sans fin. » L'exemplaire qu'il lui offre porte cette déclaration d'amour : « Tout ce que j'ai dit, Gala, c'était pour que tu l'entendes. Ma bouche n'a jamais pu quitter tes yeux [13]. »

> *Le front aux vitres comme font les veilleurs de chagrin*
> *Je te cherche par-delà l'attente*
> *Par-delà moi-même*
> *Et je ne sais plus tant je t'aime*
> *Lequel de nous deux est absent [14].*

En septembre 1929, seul à Paris, il s'active à décorer l'appartement de la rue Becquerel où, lui promet-il, « l'on aura un très bon lit, le meil-

---

13. Voir p. 134.
14. *L'Amour la poésie*, dans *Œuvres complètes*, *op. cit.*, t. I, p. 238.

leur possible, matelas splendide pour les hôpitaux américains [15] ». Il rêve de l'y accueillir en grande pompe. « Hier soir, lui écrit-il, je me suis magnifiquement branlé en pensant à toi, en t'imaginant amoureuse et déchaînée, comme tu m'as appris à te voir. Je t'aime et te désire terriblement. » Plus Gala s'éloigne, plus Eluard lui répète sa passion. Ainsi, quelques mois plus tard, après un intermède de vie conjugale, lui adresse-t-il des lettres de plus en plus lyriques. « Je suis terriblement énervé. J'ai tant envie de toi. J'en deviens fou. Je meurs à l'idée de te retrouver, de te voir, de t'embrasser. Je veux que ta main, ta bouche, ton sexe ne quittent plus mon sexe [16]. » Eluard avoue « une grande mélancolie », « un grand vide résigné ». C'est avec fatalisme qu'il laisse s'éloigner Gala : « Tu feras comme tu voudras, mon beau chéri. Je ne veux que ton plaisir, je ne veux que ta liberté [17]. » Janvier 1930 : « Je dors assez mal. Tant de rêves de toi, tu es là aussi à tous mes réveils, plus grande, plus fine, plus vivante que jamais – mais désespérément inaccessible. »

Il se plaint de « neurasthénie », de la solitude où elle le laisse et du « gouffre qu'est [son] absence ». Il parle de migraines, de fatigue et de vomissements. « Gala, si la pensée me vient que tout peut être fini entre nous, je suis vraiment comme un condamné à mort », lui déclare-t-il le 3 février 1930. Il tente alors de la rejoindre : un acte désespéré. Escorté de son ami René Char, il descend jusqu'à Marseille et hante la Côte d'Azur, dans l'attente impatiente d'un mot d'elle. Mais Gala tient son époux à distance. « Je te veux heureuse, lui écrit-il, mais un de ces jours, quand je serai gai et bien portant, j'essaierai que tu le sois avec moi… » Quelques rencontres volées ne raviveront pas la flamme de Gala. « Je sais bien que je ne peux pas te garder », finit-il par lui écrire. Dès lors, vers le milieu de l'année 1930, sa mélancolie laisse la place au désespoir.

Il trouve un dérivatif à sa déprime dans la vie de garçon. Le 21 mai 1930, tandis qu'avec l'indispensable René Char il drague sur les Grands Boulevards, il croise une jeune fille aux grands yeux noirs. Comme les deux compères cherchent l'aventure, ils l'abordent ensemble et l'invitent à entrer dans un café. C'est déjà l'histoire de *Nadja* [18]. La jeune fille les suit sans se défendre et, à peine installée, se met à dévorer les croissants qu'on leur apporte. Aux deux hommes éberlués, elle avouera qu'elle est sans abri, sans travail et sans le moindre sou. Elle s'appelle Nusch. D'origine alsacienne, elle est née à Mulhouse. Ses parents sont des saltimbanques, elle a grandi dans un cirque et fait du trapèze volant. À dix-huit ans, elle a joué du Strindberg, mais aucun metteur en scène

15. *Lettres à Gala, op. cit.*, p. 56.
16. *Ibid.*, p. 91.
17. *Ibid.*, p. 89.
18. *Nadja* est l'histoire d'une jeune fille rencontrée par hasard, qui apporte sa lumière érotique et étrange dans la vie de Breton.

« Je dors assez mal. Tant de rêves de toi, tu es là aussi à tous mes réveils, plus grande, plus fine, plus vivante que jamais – mais désespérément inaccessible. » Eluard à Gala

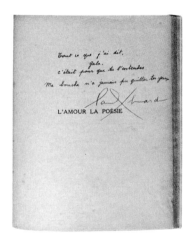

Exemplaire de *L'Amour la poésie* dédicacé à Gala.

ne s'intéresse à son talent. Elle a dû se rabattre sur le music-hall et a été actrice au Grand Guignol. Malgré sa maigreur, elle est ravissante. Elle a de longues jambes fines et tout un air de grâce, une légèreté qui donnent l'impression qu'elle danse sur les trottoirs. Son vrai nom est Maria Benz. Elle a vingt-trois ans. Et un regard très doux, qui fascine Paul Eluard. Il adopte aussitôt la jeune fille, qu'il emmène dans son stu-

Dalí et Gala dans l'atelier du peintre.

dio. Ils ne vont plus se quitter. Mais il ne s'attache que lentement, comme à regret. « J'ai eu cette nuit des cauchemars atroces. Je me suis réveillé et j'ai réveillé Nusch en t'appelant très fort. Couvert de larmes », écrit-il encore en août 1931, après un an de vie commune. Longtemps, il aura besoin de continuer à penser à Gala. Ainsi la voit-il en rêve, en février 1931 : « Toute nue et les jambes écartées, tu étais prise par deux hommes dans la bouche et le sexe... Encore maintenant, à ce souvenir, je songe que tu es pour moi l'incarnation de l'amour, l'incarnation la plus aiguë du désir et du plaisir érotique. » Il lui demande de lui envoyer des photos d'elle, nue (prises par Dalí ?), et enchaîne : « Je voudrais avoir des photos où tu ferais l'amour. Et je ferai l'amour avec toi devant Nusch qui ne pourra que se branler et tout ce que tu voudras [19]. » C'est peu de dire que Nusch n'évince pas Gala. Elle est encore très loin de déposséder Eluard de son obsession. Pour lui, Gala représente l'image même de la femme, sensuelle et dévoreuse.

Femme avec laquelle j'ai vécu
Femme avec laquelle je vis
Femme avec laquelle je vivrai
Toujours la même... [20]

L'infidélité de Gala n'entraîne cependant aucune brouille entre les deux hommes. Dalí envoie à Eluard des cartes postales rares, origine d'une collection. Par Gala, il le tient au courant de ses projets et de l'évolution de son travail. Eluard s'y intéresse, il est extrêmement attentif à l'œuvre en gestation. Et avec une courtoisie que rien n'entame,

19. *Lettres à Gala, op. cit.*, p. 139.
20. *Ibid.*, p. 137.

il achève chacune de ses lettres par des salutations : « Toute mon affection à Dalí. Écris-moi. Je te caresse. » « Mille amitiés à Dalí. À toi pour toujours. » « Remercie Dalí pour ses cartes postales. Je t'adore. Je te pénètre. » Il s'amuse toutefois, de temps à autre, à singer sa fille Cécile qui le surnomme « le petit Darí ».

Eluard, dès qu'il a rencontré Nusch, a tout fait pour la présenter à son épouse. En août 1930, accompagné de René Char, le nouveau couple embarque à Marseille sur le *Catilina* et, parvenu à Barcelone, rallie Port Lligat. Leur séjour sera bref : traités comme des intrus, ils repartent après trois jours, plutôt déconfits. Seul René Crevel, qui est déjà l'ami de Gala, est un hôte fidèle qu'ils accueillent à bras ouverts, à Port Lligat, dès le commencement de leur idylle. Comme pour effacer tous ses doutes, Gala prend le temps de demander le divorce. Eluard disait, dans le premier poème de *L'Amour la poésie* :

> *Injustice impossible un seul être*
> *est au monde […]*
> *L'amour choisit l'amour sans changer*
> *de visage.*

Dalí, Gala et Eluard en 1929.

LE THÉÂTRE DES MONDANITÉS

L'hiver, la maison de Port Lligat est encore trop peu confortable pour que Gala et ses poumons fragiles puissent y supporter la rigueur du climat. En fin d'automne, les Dalí quittent à regret leur village pour regagner Paris. De novembre à avril, leur séjour pouvant s'étirer parfois jusqu'à la mi-juin, avec des intermèdes, ils vont y passer de longs mois, en attendant le retour de la belle saison. Mais leur migration a une autre raison, tout aussi importante : le besoin d'établir des contacts. Pour vendre ses toiles, il faut en effet fréquenter les galeries, les expositions, mais aussi les dîners, les cocktails, les bals où parmi les dandys et les élégantes évoluent d'éventuels et riches acheteurs. Les Dalí, encouragés par l'enthousiasme de leurs premiers mécènes parisiens, ont vite compris le système. Les voici tous deux, l'hiver, métamorphosés pour cette rude tâche en Parisiens. Salvador arrive tout droit de son coin

Photographie du groupe
surréaliste au Luna Park
au début des années 1930.
De gauche à droite :
René Crevel, Valentine
Hugo, Salvador Dalí, Paul
Eluard et Gala.

perdu d'Espagne, quant à Gala, elle n'a jamais eu ses entrées dans le monde. Ce sont donc deux novices qui ne connaissent rien aux usages du monde, à ses arbres généalogiques, à ses blasons ni à ses conventions qui vont y faire leur entrée, quand pour leur grande chance la porte leur en est ouverte.

En le présentant au vicomte de Noailles, Joan Miró a rendu un fier service à Salvador : non seulement Charles de Noailles est devenu un client important de Dalí – son premier collectionneur –, mais il l'introduit, avec Gala, dans le réseau de ses multiples et scintillantes relations. Place des États-Unis, l'hôtel particulier des Noailles, somptueusement réaménagé en modern style par Jean-Michel Franck, est un des points de ralliement préférés du Tout-Paris : un lieu féerique et luxueux où la fête bat son plein. La vicomtesse, arrière-petite-fille du marquis de Sade, s'enorgueillit de cette parenté qui donne du panache à son anticonformisme : elle est, par principe autant que par fidélité à cet ancêtre, du camp des avant-gardes, et elle y a converti son mari. Les Noailles évoluent parmi des amis éclectiques, qui sont pour une part du même monde qu'eux, des aristocrates, de grands banquiers, quelques hommes politiques, des académiciens, auxquels ils aiment mêler une bohème soigneusement triée sur le volet, Jean Cocteau, Erik Satie ou Georges Auric. Avoir à sa table un artiste dont on commence à parler est évidemment du dernier chic. Aussi généreux qu'ils sont snobs, les Noailles ne manquent pas de courage : c'est chez eux qu'une séance inaugurale de *L'Âge d'or*, le deuxième film que Buñuel aura finalement réalisé sur un scénario de Dalí, fera scandale, obligeant le jeune couple à une retraite forcée (provisoire) dans sa propriété d'Hyères pour calmer les esprits. L'anticléricalisme violent de Buñuel, parmi d'autres provocations, a choqué tous les intimes. Même si certains se sont beaucoup amusés.

Chez les Noailles, Salvador Dalí, qui ne sait trop comment s'y prendre pour justifier sa présence sous de tels lustres, trouve dès le premier soir un truc pour se distinguer. Il ne mange pas. Il ne parle pas non plus. Quand le maître d'hôtel lui présente le plat, il l'écarte d'un geste et demeure obstinément muet devant son assiette vide. Comme son hôtesse finit par s'inquiéter et lui demande gentiment s'il n'est pas malade, il ouvre enfin la bouche pour répondre qu'il n'a plus faim, parce que chez lui il a mangé une desserte ! Une desserte en verre et en bois, mais c'est le bois, ajoute-t-il, qui lui a donné le plus de peine. Son accent est aussi saugrenu que le récit. Venu pour se faire remarquer, il aura étonné leurs invités. Il pourra revenir. Marie-Laure de Noailles, fière de son audace, montre à tous ses amis, sur le mur de la salle à manger, entre un Watteau et un Cranach, *Le Jeu lugubre* que son mari a acheté à ce personnage incongru, artiste de talent qu'ils ont sorti de l'ombre.

Trois expositions à Paris, qui ont lieu successivement aux mois de juin 1931, 1932 et 1933 à la galerie Pierre Colle, rue Cambacérès, valent à Salvador Dalí, avec quelques articles dans la presse, un début de réputation. Mais les acheteurs sont encore lents à se décider et Salvador et Gala continuent de tirer le diable par la queue. Ils vont bientôt habiter un appartement dans un quartier populaire, rue Gauguet, à Montrouge. Son avantage est de posséder un véritable atelier. Le 10 *bis* est modeste – pas de meubles, pas de décoration. L'ordre le plus rigoureux y règne : ainsi que le décrira un visiteur, « on n'y voyait jamais traîner un pinceau ». Les Dalí mènent une existence tranquille. Le soir, le décor change et on les voit apparaître dans des arrondissements huppés, venus de Montrouge en taxi, parmi les paillettes des réceptions parisiennes. À tous les dîners, Gala accompagne Salvador : elle l'aide à vaincre sa peur. Tendre, discrète, elle l'encourage, son regard ne le quitte pas. Il prend de l'assurance. Gala ne se permet pas même un sourire quand il fait le pitre. Elle n'approuve ni ne désapprouve, mais tout son être est solidaire, quoi qu'il dise, quoi qu'il fasse.

Elle assume discrètement à ses côtés le rôle que, dès leurs débuts, elle a tenu à jouer, celui d'un agent artistique. S'il lui arrive de se promener encore auprès des galeries, ses nouvelles relations lui permettent d'aborder le sujet directement, sans intermédiaire : un moyen plus efficace de parvenir à ses fins. C'est ainsi qu'elle ira voir un ami des Noailles : le prince de Faucigny-Lucinge. Ce dernier raconte dans ses mémoires[21] que Gala lui a exposé sans honte les difficultés financières de son ménage et la nécessité pour Dalí de se consacrer exclusivement à sa peinture, qui fera de lui, elle n'en doute pas, un des plus grands artistes de tous les temps. « Dalí a besoin de tranquillité donc d'argent pour peindre. » Le prince ne fait pas la sourde oreille. Gentilhomme, il a les qualités du mécène et va libérer l'artiste des soucis pécuniaires. Il a déjà acheté, sur un coup de foudre, un tableau de Salvador Dalí, mais pour que celui-ci puisse travailler en toute tranquillité d'esprit, il trouve une idée élégante et ingénieuse. Il décide de créer à son intention un club qu'il baptise, en référence aux douze mois de l'année, le Zodiaque.

« À tous les dîners, Gala accompagne Salvador : elle l'aide à vaincre sa peur. Tendre, discrète, elle l'encourage, son regard ne le quitte pas. Il prend de l'assurance. »

---

21. *Un gentilhomme cosmopolite*, Perrin, 1990, p. 130.

Gala et Dalí dans
leur appartement de la
rue Gauguet, dans
le 14e arrondissement
de Paris, photographiés
par Brassaï en 1932.

Gala, dans l'appartement
de la rue Gauguet,
vers 1933.

Les douze membres de ce club, qu'il se charge de recruter, s'engagent à verser à Salvador Dalí la somme de deux mille cinq cents francs par an, qui leur donne le droit de choisir dans la production de l'artiste, fraîchement peinte grâce à eux et pour eux, soit un grand tableau, soit un plus petit avec deux dessins. Un tirage au sort attribuera à chacun des douze membres du club un mois où effectuer son choix. La rente ainsi réunie devrait assurer à Dalí le minimum vital, tel que le prince de Faucigny-Lucinge le conçoit. Les volontaires sont évidemment de ses amis : le vicomte de Noailles, le prince Paul de Serbie, Robert de Rothschild, Robert de Saint-Jean, l'architecte Emilio Terry, la marquise Cuevas de Vera, la comtesse Pecci-Blunt, Caresse Crosby, l'écrivain Julien Green et sa sœur Anne. Gala complétera le cercle en y adjoignant, recommandé par Paul Eluard, l'éditeur René Laporte. Julien Green, trente-trois ans, auteur de quatre romans, est l'un des premiers désignés par le tirage au sort : le 26 février 1933, il se rend à Montrouge pour choisir son tableau. Il opte pour une petite toile, « d'une tonalité merveilleuse, gris et lilas », et deux dessins. Dalí lui commente longuement le sens symbolique de cette toile qu'il appelle *Délire géologique*, puis, mis en confiance sans doute, bavarde un peu plus simplement. Il parle de Crevel, « malade mais *estoïque* », et des tracas de ses voyages en *ferrocarril*. « Il est un peu comme un enfant à qui la vie fait peur [22] », pense le romancier.

Le Zodiaque assure désormais aux Dalí de vivre sans se soucier des contingences. Gala change sa garde-robe : tailleurs et tenues de soirée, étoles et chapeaux vont contribuer à sa nouvelle image de Parisienne élégante et sûre d'elle, compagne d'un peintre dans le vent. Chez les Noailles, elle a connu Coco Chanel, qui commence de l'habiller vers 1930 et dont elle adopte pour longtemps le style : tout dans l'allure, pas de chichis. La petite robe ou le célèbre tailleur, très stricts mais coupés dans de voluptueuses matières, lui vont comme un gant. À la fois fastueuse et sobre, telle est Gala : habillée par Chanel, elle ressemble de moins en moins à la jeune émigrée russe qui cousait elle-même ses vêtements. Après la bohème des années dadas et le style charleston – bracelets africains montant tout le long des bras –, elle s'adapte à la société chic qu'elle fréquente à Paris. Les Dalí en sont convaincus : la *jet society* est devenue leur planche de salut.

Bettina Bergery, l'épouse de Gaston Bergery, député radical-socialiste, aime les avoir à sa table : dans les années trente, le couple Bergery est très en vogue, chacun fonde sur Gaston de vastes espoirs. Bettina, née Shaw Jones, est d'origine américaine ; très liée au monde de la mode, elle est en particulier l'amie d'Elsa Schiaparelli, pour laquelle elle joue les ambassadrices de charme. La comtesse Marie-Blanche de Polignac,

---

22. Julien Green, *Journal*, Plon, 1961, p. 112.

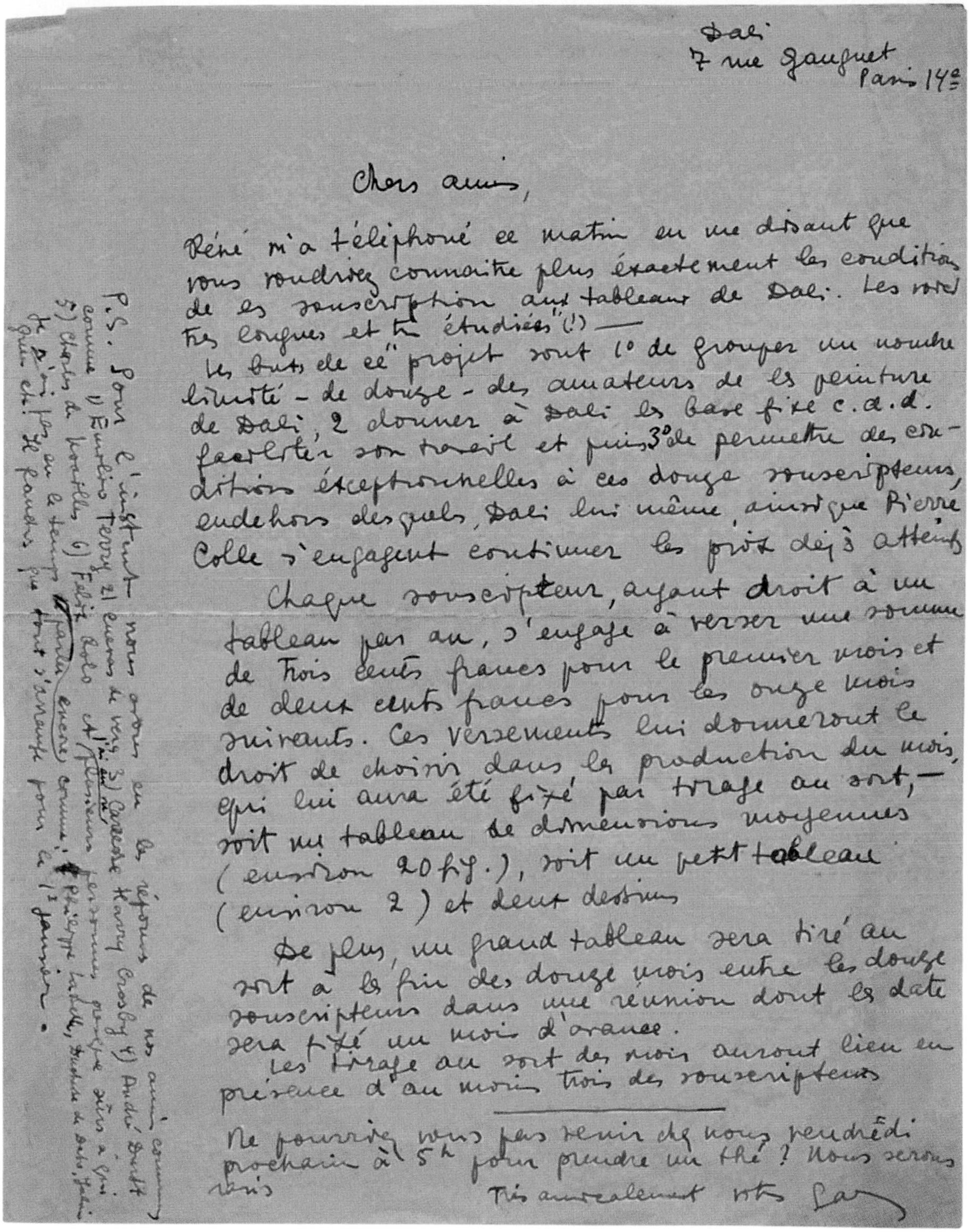

Dali
7 rue Gauguet
Paris 14ᵉ

Chers amis,

René m'a téléphoné ce matin en me disant que vous voudriez connaître plus exactement les conditions de la souscription aux tableaux de Dali. Les voici très longues et très "étudiées" (!) —

Les buts de ce "projet" sont 1° de grouper un nombre limité — de douze — des amateurs de la peinture de Dali, 2° donner à Dali les bases fixes c. à. d. faciliter son travail et puis 3° de permettre des conditions exceptionnelles à ces douze souscripteurs, en dehors desquels, Dali lui même, ainsi que Pierre Colle s'engagent continuer les prix déjà atteints.

Chaque souscripteur, ayant droit à un tableau par an, s'engage à verser une somme de trois cents francs pour le premier mois et de deux cents francs pour les onze mois suivants. Ces versements lui donneront le droit de choisir dans la production du mois, qui lui aura été fixé par tirage au sort, — soit un tableau de dimensions moyennes (environ 20 fig.), soit un pett tableau (environ 2) et deux dessins

De plus, un grand tableau sera tiré au sort à la fin des douze mois entre les douze souscripteurs dans une réunion dont la date sera fixé un mois d'avance.

Les tirage au sort des mois auront lieu en présence d'au moins trois des souscripteurs

Ne pourriez vous pas venir de nous vendredi prochain à 5ʰ pour prendre un thé ? Nous serons trois

Très amicalement votre Gala

P.S. Pour l'instant nous avons en la réponse de vos amis comme 1) Emilio Terry 2) Evans la vicomtesse de vers 3) Caresse Henry Crosby 4) André Durst 5) Charles de Noailles 6) Félix Rollo d'Harcourt comme il présentait principe étiez à qui 7) Princesse Lahlo, Breton à autre gala. je passe en le temps qui s'engage pour le tout s'engage pour le 1ᵉ janvier.
P.S. de Dali je passerai pour le tout prochaine pour le 1ᵉ janvier.

Lettre de Gala au prince Jean-Louis de Faucigny-Lucinge fixant les règles de fonctionnement du groupe Zodiaque, mécènes de Dalí, décembre 1932.

fille de Jeanne Lanvin, est surtout réputée pour ses fêtes musicales; tantôt elle chante elle-même d'une voix admirable, tantôt elle fait interpréter des concerts par les plus grands musiciens de son temps. La princesse de Faucigny-Lucinge, dite Baba, la ravissante et longiligne épouse du généreux inventeur du Zodiaque, les compte parmi ses invités réguliers dans son hôtel de la rue Boissière, puis dans le colossal appartement qui donne sur le Champ-de-Mars et contient, parmi salons et boudoirs, une authentique salle de bal. L'été, elle les reçoit dans sa maison du Cap-d'Ail, au bord de l'eau. Les Dalí y passeront plusieurs fois des vacances. Si Baba est pour eux la plus délicieuse des hôtesses, ils peuvent aussi compter sur Mimi: la comtesse Pecci-Blunt, petite-nièce du pape Léon XIII et épouse de Cecil Blumenthal, lui-même fils d'un banquier et de la duchesse (en secondes noces) de

Dalí et Coco Chanel
dans les années 1930.

Montmorency; elle n'a pas vraiment de soucis de fortune. Quant à Caresse Crosby, l'Américaine en deuil toute de blanc vêtue qui habite en semaine la rue de Lille, elle donne de sensationnelles fêtes dans sa propriété du Moulin du Soleil, en forêt d'Ermenonville. Les Dalí y passent leurs week-ends. Tout le décor est blanc. Seuls la porcelaine, le service de table, la nappe et les assiettes sont noirs: en mémoire de Harry, le mari qu'elle adorait, qui s'est suicidé en 1929 et fut le créateur des éditions Black Sun Press.

UN PEINTRE
AU PILORI DES POÈTES

Si le gratin les fête, le milieu des poètes en revanche les boude et peu à peu leur tourne le dos. Hormis René Crevel, sincère, et Paul Eluard, Dalí n'y aura même aucun ami. Son art, jugé tantôt académique, tantôt scatologique, déclenche plus de débats que de passions. Sa personnalité agace: trop individualiste et trop indépendant, agité et incontrôlable, bizarroïde enfin, il n'est pas assez rompu aux règles de la communauté. Il participe pourtant aux réunions et aux conférences que Breton organise. Présent à la plupart des séances publiques, il collabore à l'élaboration de la théorie surréaliste, non seulement en lançant des idées – et il en est prodigue –, mais en écrivant des textes. *La Femme visible*, publiée en 1930 avec une préface de Paul Eluard, fait état de l'une de ses découvertes : la pensée qu'il appelle la « paranoïa-critique ». C'est, selon Paul Eluard, « le plus admirable instrument qui ait encore été proposé, pour faire passer dans les ruines immortelles le fantôme-femme au visage vert-de-grisé, à l'œil riant, aux boucles dures qui n'est pas seulement l'esprit de notre naissance, mais encore le fantôme toujours plus attirant du *devenir* ». Personne alors n'a peur du charabia. Quant à Gala, elle continue d'encourager Dalí non seulement à peindre, mais encore à écrire et à prendre une part active au mouvement. Il peut parler du « dévouement fanatique de Gala[23] » à son égard. Quand Dalí franchit les limites, elle n'essaie pas d'arrondir les angles mais surveille les effets. Elle est vigilante – consciente des risques que prend Salvador – et méthodique : dès qu'il passe les bornes, elle n'intervient que pour appeler Paul au secours. Eluard, rompu à cette vie en communauté et convaincu des « très grands moyens artistiques de Dalí », répare ses polissonneries. Mais Salvador ne lui facilite pas la tâche. Il prend systématiquement le contre-pied de l'intelligentsia parisienne, il veut démolir les idoles du groupe et se déclare hardiment : contre l'art africain pour Michel-Ange, contre les objets sauvages pour le modern style, contre le collectif pour l'individuel, contre l'égalitarisme pour la hiérarchie, contre le scepticisme pour la foi, contre les épinards pour les escargots…, mais surtout, camouflet, contre la politique pour la religion et contre la révolution pour la tradition !

Or, la politique est devenue le sujet principal des réflexions des surréalistes, parmi lesquels elle provoque de violentes dissensions. La Russie est le grand miroir de leurs consciences et ils se battent entre eux pour savoir qui, de Trotski ou de Staline, a raison. Le communisme est au centre du débat. Aragon, Breton, Eluard sont membres du Parti depuis le 6 janvier 1927, le jour des Rois, a rappelé Aragon. Péret, Crevel, Picasso, Tzara se laisseront tenter. Dalí ne fait pas seulement partie des résistants à l'embrigadement, qui, comme Soupault, Artaud, Vitrac, rechignent devant « la promesse du monde » et, à la suite de débats houleux, finissent par prendre leurs distances, il est un rebelle forcené. Au dogme, il oppose son « fanatisme machiavélique ». Premier converti, Louis Aragon rentre précisément de Russie où, en novembre 1930, il a assisté à un congrès de l'Union internationale des écrivains révolutionnaires, lourd de conséquences. Il a tenté, sans succès, d'y défendre les positions surréalistes, et notamment la force des rêves et de l'inconscient, devant des congressistes qui avaient d'autres priorités en tête et sont parvenus à lui faire signer une véritable lettre d'autocritique. Louis Aragon n'aime pas Salvador Dalí. Il lui reproche de ne goûter que des arts décadents, parangons de l'esprit bourgeois, de fréquenter des privilégiés, et, pour les conquérir, de lancer des credo

« Gala continue d'encourager Dalí non seulement à peindre, mais encore à écrire et à prendre une part active au mouvement. Quand Dalí franchit les limites, elle n'essaie pas d'arrondir les angles mais surveille les effets. »

---

23. *La Vie secrète de Salvador Dalí, op. cit.*, p. 227.

inutiles. Dalí est un surréaliste irrécupérable, comme l'écrira Georges Hugnet, l'un des observateurs de ces querelles : « Pour la première fois, un surréaliste allait vraiment jusqu'au bout du système [24]. »

Mais le prisme de la Russie change l'angle de vue. André Breton se donne beaucoup de mal pour prouver que surréalisme et communisme peuvent s'épauler dans l'assaut contre les forces bourgeoises. Dans cet effort immense qu'il déploie pour amadouer le Parti communiste, Dalí est un gêneur. Dès le 1er juillet 1930, le titre de la revue devient : *Le Surréalisme au service de la Révolution*. Dalí y collabore comme membre actif, et sa réputation nuit fâcheusement au sérieux des débats... Le premier, Louis Aragon, accuse Dalí du grave délit d'indifférence sociale. Sa colère éclate le jour où Salvador lance l'idée d'une machine à penser qui serait composée d'une chaise à bascule recouverte de gobelets de lait chaud ! Aragon, furieux : « Finies les excentricités de Dalí, s'indigne-t-il. Le lait chaud sera pour les enfants des chômeurs. » Sa fureur fera des émules. Pour le numéro 4 du *Surréalisme au service de la Révolution*, il donne un texte qui dresse les membres du Parti contre lui : c'est un délire schizophrénique où, de fantasmes en obsessions, Salvador soutient notamment un éloge de la coprophagie. Aragon – il n'est vraiment pas le seul – est choqué. Le texte bafoue les intentions hautement morales de la revue. Il exigera, sans l'obtenir d'abord, l'expulsion de l'auteur. Malgré les louables tentatives de Paul, Dalí se voit écarté comme un membre indésirable. Paul Eluard ne peut que déplorer son obstination : « Le tout est de soutenir une activité commune, sans laquelle toute activité intellectuelle deviendra vite vaine, même nuisible, car elle s'embourgeoisera [25] », écrit-il à Gala, qui a pour mission de rapporter cette mise en garde. Eluard a beau prêcher la modération, le grand provocateur va bientôt lancer un nouveau pavé dans la mare. Il vient en 1933 rue Fontaine, devant Breton et ses amis scandalisés, faire, dans des termes ampoulés et selon une pantomime grotesque, une déclaration d'amour à Hitler, louer son style et ses idées ! « Je sais bien que Dalí n'est pas hitlérien », écrit Eluard, très ennuyé, à Gala. Mais, ajoute-t-il, « il faut absolument qu'il trouve un autre sujet de délire... L'éloge d'Hitler est inacceptable et entraînera la ruine du surréalisme et notre séparation [26] ». La position de Gala est constante : elle défend Dalí. À Paul, elle ne parlera que d'incompréhension, de jalousie du groupe à l'égard de Salvador.

Dalí et Gala dans les années 1930.

---

24. *Pleins et déliés*, Guy Authier, 1972, p. 261.
25. *Lettres à Gala, op. cit.*, p. 230.
26. *Ibid.*, p. 233.

André Breton se fâche à son tour. Bien qu'il ait soutenu d'abord Dalí, sûr qu'il apporterait au mouvement sa force juvénile, et qu'il lui ait acheté des tableaux, il a vite perdu patience, dépassé par les élucubrations du personnage. André Breton, de plus en plus docte et professoral, prend des airs de directeur et de censeur. La politique est taboue. Dalí l'a bien compris, qui trouve aussitôt la clé de la rupture. Au Salon des indépendants, en février 1934, il expose une immense toile de deux mètres sur trois et demi, qui est un défi à la bande : *L'Énigme de Guillaume Tell*. Selon lui, Guillaume Tell doit incarner une tragédie du père et du fils. On y voit au premier plan un Lénine accroupi, fesses nues, obscène et ridicule, pourvu d'un fixe-chaussette et d'une grande casquette, qui tente de dévorer un modèle de Dalí enfant, à l'air terrorisé. Breton crie au blasphème, Dalí sape l'assise politique du groupe, affaiblit sa position, déjà délicate, dans l'esprit des marxistes dont il espère encore obtenir une action en commun. Breton institue chez lui un tribunal. Tous les surréalistes sont convoqués. Seuls manquent à l'appel Tzara et Eluard. Dalí est présent, « dans un vaste pardessus en poil de chameau, [...] chaussures sans lacets, il boitille et trébuche ». Georges Hugnet raconte : « Il est précédé de Gala, dont le regard de rat traqué ne comprend pas, en tant que femme, qu'on tourmente son génial époux, et en tant que manager qu'on entrave la carrière de son poulain. Familière du lieu, importante comme un membre de conseil d'administration, elle va droit au divan déjà encombré et s'y assied sans ménagement[27]. » Elle fera à Paul Eluard le commentaire de la séance, au cours de laquelle Dalí assure sa propre défense, dans le style délirant qui est le sien, devant un Breton qui prend au sérieux son rôle d'avocat général. Il est jugé coupable, « à diverses reprises, d'actes anti-révolutionnaires tendant à la glorification du fascisme hitlérien ». Dalí improvise, avec un thermomètre dans la bouche, qu'il consulte à tout moment. Gala a un visage de marbre. « Je vous aime, Breton ! J'ai rêvé cette nuit que je vous enculais ! » Et Breton, sec et froid : « Je ne vous le conseille pas ! » Au terme d'un long débat, il sera exclu du groupe, en tant qu'« élément fasciste ». C'est le 5 février 1934, veille de la manifestation contre les ligues d'extrême droite. Parmi les signataires du décret

Salvador Dalí,
L'Énigme de Guillaume Tell,
1933, huile sur toile,
201 × 346 cm, Moderna
Museet, Stockholm.

---

27. Georges Hugnet, *Pleins et déliés, op. cit.*, p. 261.

Dalí et Gala dans les
années 1930, photographiés
par Man Ray.

« La seule différence
entre les surréalistes
et moi, c'est que
moi je suis surréaliste. »

d'excommunication, seuls manquent Eluard et Crevel. Verdict du tribunal : « élément à combattre par tous les moyens ». Il l'aura bien cherché. Paul Eluard est navré, Gala le boude. Il conclut tristement, avec une lassitude évidente : « J'ai essayé d'agir le plus habilement possible. J'ai défendu Dalí et je le défendrai encore, tout en le mettant en garde contre les conséquences inévitables de son obstination... Dans cette histoire, je suis probablement le seul puni. » Et il ajoute : « Tu sais, ma petite Gala chérie, que je crains maintenant plus que tout de te déplaire, de t'ennuyer... Un jour, ma petite fille, il faudra quand même penser que toute ma vie, par-dessus tout ce que j'ai pensé, ce que j'ai dit, ce que j'ai fait, il y a eu toi, toi responsable, vraiment responsable de tout... [28] » Quant à Dalí, qui reprend la route de l'Espagne avec elle, il résumera ainsi le débat : « La seule différence entre les surréalistes et moi, c'est que moi je suis surréaliste [29]. »

ÉCHANGE DES ALLIANCES

Divorce : le mot en ces temps-là est encore scandaleux et la chose peu répandue. La société bourgeoise lui préfère des infidélités officielles ou des liaisons officieuses. Gala, la première, en lance l'idée à Paul, l'été de son installation à Port Lligat, où, tandis qu'il est venu en visiteur avec Nusch, il se voit éconduire vers d'autres rivages. À l'automne 1930, ils s'entendent pour organiser leur séparation au plus vite et à moindres frais. Il n'y aura jamais entre eux de désaccord. Rien qu'une lassitude : « Plus bas que tout il y avait l'ennui », suggère Paul dans un poème qui s'appelle *Nuits partagées* [30]. Afin d'obtenir rapidement gain de cause, Gala assume tous les torts. Elle rédige une lettre de rupture, le 1er octobre, qui sera aussitôt versée au dossier. Puis elle quitte le domicile conjugal, « pour vivre avec un amant », et s'installe à l'hôtel Alésia, 39, avenue Junot, dans l'intention d'y attendre l'huissier. L'adultère sera constaté quinze jours après, lorsque l'officier de justice somme Gala de rejoindre son mari. La « dame Grindel » refuse d'obtempérer. Elle revendique sa liberté. Et, assumant son choix, elle ne demande rien d'autre : ni pension alimentaire, ni garde de son enfant mineure (Cécile a alors douze ans).

« C'est bien, écrit Paul Eluard. Puisque tu es la seule, je suis seul. » Il publie un recueil de poèmes, *À toute épreuve*, seize pages inspirées par les souffrances et la tristesse de leur séparation définitive :

---

28. *Lettres à Gala*, op. cit., p. 233-234.
29. Louis Pauwels, *Les Passions selon Dalí*, op. cit., p. 242.
30. *La Vie immédiate*, dans *Œuvres complètes*, op. cit., t. I, p. 375.

Tous les refus du monde ont dit
leur dernier mot
Ils ne se rencontrent plus ils s'ignorent
Je suis seul je suis seul tout seul
Je n'ai jamais changé.

Paul Eluard chez lui près
de ses kachinas en 1931.

Seul, mais près de Nusch. « Elle est là pour me recevoir, moi et cette innocence que je n'ai pas perdue », écrit-il aussi. Longtemps incapable d'oublier sa première épouse, de renoncer définitivement à elle, il écrit *Nuits partagées* en 1932, un long poème en prose qui est le témoin de ses états d'âme. « Nous deux, j'insiste sur ces mots […] nous étions vraiment, nous étions, nous. » Un soir, invité à dîner avec Nusch rue Gauguet, il lit à haute voix, au dessert, des passages de ses *Nuits* devant Gala impassible, tandis que Dalí, qui a pris un air absent, émiette du pain dans son assiette. « Que ne puis-je encore, comme au temps de ma jeunesse, me déclarer ton disciple, énonce-t-il sans complexes. Que ne puis-je encore convenir avec toi que le couteau et ce qu'il coupe sont bien accordés. Le piano et le silence, l'horizon et l'étendue. »

Nul besoin de conciliation. Tout ce qui est à Paul appartient aussi à Gala. Lorsqu'en juillet 1931, à court d'argent, il vend sa précieuse collection, il en partage le bénéfice avec celle qui ne portera bientôt plus son nom. Il partagera pareillement le produit de la vente de la villa d'Eaubonne, cent cinquante mille francs, en juin 1932. Paul Eluard s'appauvrit. Ne vivant plus que de ses rentes, victime de la mauvaise gestion de ses placements en Bourse, il a mieux spéculé sur les œuvres d'art. Mais il doit aussitôt entamer son capital pour vivre et, ne gagnant à peu près rien avec sa poésie, il va voir fondre ses économies. « En janvier 1932, tout sera évaporé », constate Jean-Charles Gateau, son biographe.

Le 15 juillet 1932, la neuvième chambre du tribunal civil de la Seine prononce le divorce d'Eugène et de Gala Grindel, après quinze ans de mariage. Paul Eluard reçoit la garde de Cécile, qui est en fait confiée à sa grand-mère et continue de vivre en pensionnat. Si Paul lui rend souvent visite et l'emmène quand il le peut en vacances, Gala, lointaine, se fait de plus en plus absente et Paul est obligé de lui écrire pour lui demander d'adresser de ses nouvelles à sa fille.

Elle n'aura pas d'autre enfant : souffrante et soudainement amaigrie, entrée en clinique à l'automne 1932 pour y être opérée d'un fibrome, elle doit subir également l'ablation des ovaires. C'est le docteur Jacquemaire qui l'opère dans sa clinique de Saint-Cloud, s'attirant de sa part une rancune tenace : non parce qu'il l'a rendue stérile, mais parce qu'il lui a laissé sur le ventre des cicatrices pour le restant de ses jours. De cette épreuve, le couple Dalí sortira renforcé : c'est que Salvador, devant la gravité de l'état de Gala, aura éprouvé l'une des plus grandes peurs de son existence. Sa stérilité, à l'aube de leur vie commune, n'entame nullement à ses yeux le prestige de sa féminité ; ni Gala ni Salvador ne souhaitent s'encombrer d'un enfant « Je ne souhaite pas transmettre du Dalí, confiera-t-il plus tard à Louis Pauwels. Je veux que tout se termine avec moi. » Il continue de l'adorer « Mon amour pour Gala est un monde clos, expliquera-t-il. Ma femme est la fermeture indispensable de ma propre structure [31]. »

Ce n'est que lentement que Paul se détache. *La Vie immédiate*, en 1932, parle désormais pour Nusch tandis que les lettres qu'il continue d'adresser à Gala tiédissent peu à peu. Les commentaires sur la vie quotidienne, les secousses du groupe surréaliste et les besoins d'argent empiètent largement sur les déclarations d'amour. C'est que Nusch, à force de présence discrète et dévouée, commence de mieux remplir la place. « Confiance de cristal », écrit-il pour la jeune femme, les yeux sur un autre monde où le charme de Nusch, limpide et tranquille, transforme l'atmosphère. Après les tempêtes et le feu, voici le calme et la fraîcheur, la paix sinon le bonheur :

Gala, photographiée par Carl Van Vechten en 1934.

> *Ton inexpérience sur la paille de l'eau*
> *Trouve sans se baisser le chemin de l'amour.*

En 1933, ils emménagent aux Batignolles, entre une boucherie et une gargote, au 54 de la rue Legendre. Il habitera désormais à la station Rome un deux-pièces, au cinquième étage. Eluard vit avec Nusch de la

---

31. *Les Passions selon Dalí, op. cit.*, p. 62.

Salvador Dalí,
*Portrait géodésique
de Gala*, 1936, huile
sur bois, 21,8 × 27,3 cm,
Yokohama Museum
of Art, Yokohama
(Japon).

Salvador Dalí,
*Portrait de Gala avec
turban*, 1939, huile sur
toile, 56 × 50 cm,
Museo Nacional Centro
de Arte Reina Sofía,
Madrid.

manière la plus simple, sans aucun luxe, sinon quelques œuvres rescapées de la vente et d'autres qui sont venues depuis renouveler la collection, car Paul, même désargenté, ne peut s'empêcher de fréquenter les galeries et les brocantes. Mais le vrai luxe de ce couple, c'est que ni l'homme ni la femme ne travaillent. Paul continue de publier de temps à autre à compte d'auteur. Et de dépenser pour que soient publiées les revues du groupe, en quête d'éditeur et en quête de lecteurs. Le surréalisme se vend mal et coûte cher. Mme Grindel mère est largement mise à contribution : elle entretient Cécile pour la plus grande part, elle règle les frais des voyages – quand elle le veut bien. C'est elle qui offrira le voyage de noces de Nusch et de Paul… à Bruxelles. En 1934, le 21 août, Eluard (trente-huit ans) épouse Nusch (vingt-huit ans) à la mairie du 17e arrondissement. Son témoin est André Breton, celui de Nusch est René Char. Nusch, ce 21 août, « exultait », dira Char. Gala, qui est à Port Lligat, n'a pas assisté à la cérémonie.

À la fin de cette même année 1934, Gala épouse Salvador Dalí à Paris, au consulat d'Espagne. Ils ont fui à l'automne la grève générale qui secoue leur pays et les violentes manifestations qui déferlent sur Barcelone, dans la République catalane devenue autonome. Gala et Dalí ont pris peur. Ils ont cherché refuge avec tous leurs bagages de l'autre côté de la frontière, ne laissant à Cadaqués, aux anarchistes et aux indépendantistes, aucune des toiles de Salvador Dalí. Leur mariage est célébré civilement, à la va-vite. Le mariage religieux, dans un État catholique, aurait de toute façon été interdit à une divorcée. C'est Paul lui-même qui a insisté pour que Gala régularise sa situation : « Il n'y aura rien de changé à ma vie, écrit-il à Gala la veille de son mariage, sauf en ceci que si je voulais quitter Nusch, j'aurais moins de scrupules étant marié, car alors sa situation matérielle serait plus aisée à régler. Mais chaque nuit je rêve de toi[32]. » Le surréaliste garde au fond de lui de solides principes bourgeois : « aucune négligence n'est permise », affirme-t-il, insistant dès 1933 sur le danger d'une situation maritale incertaine aux yeux de la loi. « Le moyen le plus simple serait de vous marier sous le régime de la communauté. Sinon, que Dalí reconnaisse dans une lettre sur papier timbré que la moitié de tout ce qui est chez lui, sauf ses tableaux, t'appartient en propre. Pardonne-moi ces soucis mais c'est indispensable de régler ça tout de suite. Songe que tu n'aurais même pas le droit [si Dalí mourait] d'emporter tes robes[33]. »

Répondant à ses vœux, l'horizon matériel s'éclaircit ; en 1934, les alliances sont officiellement échangées et le partage des biens s'effectue légalement. L'horizon sentimental apparaît sans nuages, allégé des agitations, des hésitations ou des rivalités.

---

32. *Lettres à Gala*, *op. cit.*, p. 247 (20 août 1934).
33. *Ibid.*, p. 191 (8 février 1933).

J'établis des rapports entre l'homme et la femme
Entre ma solitude et toi.

Paul ne tourne pas le dos à Gala. Il continue de penser sa vie à travers elle. Le lendemain du divorce, il lui a aussitôt renouvelé par écrit la promesse de son amour : « Tu es toujours ma femme, pour l'éternité. » Ses lettres lui disent encore et toujours son amour : « Le matin en m'éveillant, le soir en m'endormant, et à chaque minute se répète en moi ton nom : Gala, qui veut dire : j'aime Gala. Il y a vingt ans que je t'aime, nous sommes inséparables [34] », lui affirme-t-il. « Si un jour tu es seule et triste, tu me retrouveras. » Il ajoute cette promesse que le temps effacera : « Si nous devons vieillir, nous ne vieillirons pas séparés. »

GALA ENTRE FASCISME ET COMMUNISME

L'Histoire a rattrapé Gala. La politique de son ancienne patrie, rebaptisée URSS, captive la plupart des poètes et des peintres qu'elle fréquente. Seul Salvador échappe à l'envoûtement. Exilée de Russie bien avant que la révolution n'y éclate, Gala, qui sait sa famille prisonnière des événements et contrainte de supporter la misère à Moscou, suit de loin l'évolution chaotique du régime soviétique. Les révolutionnaires ne jouissent à ses yeux d'aucun prestige particulier : contrairement à sa compatriote Elsa Triolet, la nouvelle compagne d'Aragon, elle reste de marbre devant les déclarations des prophètes rouges. Ni Lénine, ni Staline, ni Trotski ne la font vibrer. Gala a revu à Paris Marina Tsvétaïéva. Elle est en exil à Paris : son mari, Serge Efron, un officier de l'Armée blanche, a dû fuir son pays dès 1918 et elle-même l'a rejoint aussitôt qu'elle l'a pu, en 1922, avec sa petite fille. Marina est pauvre, misérable. En France, elle écrit des poèmes en russe et ne veut fréquenter que ses compatriotes exilés. Elle a à peine reconnu Gala dans la figure de la Parisienne qui lui a donné rendez-vous, à l'automne 1927, au café des surréalistes. Sa petite sœur Assia est venue elle aussi à Paris ; elle a eu le temps d'embrasser son amie d'enfance, de parler un peu avec elle, de s'étonner de son élégance et de ses relations,

Gala et Dalí à Hollywood
en 1937.

---

34. *Ibid.*, p. 204 (6 mars 1933).

mais elle est aussitôt repartie, happée par l'Histoire. Contrairement à Marina, qui a quitté l'Union soviétique blessée, avec sa charge de misère et de peur et craint d'y retourner, Assia croit qu'elle a un rôle à jouer dans son pays. Elle le racontera beaucoup plus tard, quand elle publiera ses *Souvenirs*[35]. La révolution les avait séparées. Gala était devenue une étrangère. Et il est sûr que le spectacle de ces deux jeunes femmes si démunies et meurtries par les années rouges n'allait pas l'encourager à rallier le camp des communistes. Elle ne reverra plus Anastasia ni Marina – cette dernière ne rentrera un jour en Russie, anonyme, que pour s'y perdre[36].

Gala, comme Salvador Dalí, est anticommuniste. Parce qu'ils sont l'un et l'autre, pour reprendre les termes de Dalí, «contre le collectif, pour l'individuel[37]». Rebelles, leur liberté les rend réfractaires à la discipline d'un groupe. Femme d'ordre mais en quête d'un destin individuel, Gala aime trop ses privilèges pour approuver cet idéal d'égalité absolue, de nivellement des vies et des carrières que son pays natal semble vouloir imposer au reste du monde. Dès les années trente, le communisme est assez chic pour que Marie-Laure de Noailles se fasse dessiner une broche de diamants et rubis : une faucille et un marteau ! Sincères dans leurs ambitions, Gala et Dalí n'auront pas fait semblant d'en être ; ce qui, d'emblée, les met dans le clan de la contre-révolution. Autour d'eux, tout le monde ou presque est ou devient communiste, à des degrés divers : René Crevel et Benjamin Péret, Pierre Naville et Luis Buñuel, Giacometti et Pablo Picasso... La Révolution passe-t-elle par la discipline du Parti ? Dans les années trente, alors que le Parti communiste durcit ses positions et entame le procès des intellectuels «contre-révolutionnaires», Gala assiste en silence à la crise de conscience du groupe. Si Crevel est communiste pour pousser toujours plus loin l'art de la provocation, si Aragon l'est avec détermination, sous la houlette d'Elsa, Breton exprime très tôt des réticences : il craint de voir «son» surréalisme vaincu, pilonné par plus fort que lui. L'art n'est qu'un outil, au service d'une idéologie implacable. Paul Eluard, entré en communisme sans hargne ni fanatisme, mais avec l'espoir d'un changement dans les rapports de classe, se heurte comme Breton à un mur d'hostilité et de méfiance : les dirigeants de la rue de Châteaudun, où siège alors le Parti, surveillent ce qu'ils écrivent et freinent l'élan de leurs libertés.

Au terme de dissensions et de querelles qui prouvent leur déchirement intérieur, et notamment après la publication, en 1932, par Breton de *Misère de la poésie* et par Eluard de *Certificat*, pamphlet contre Aragon (qu'il baptise avec colère «Hourra l'Oural!»), les deux poètes

« Gala, comme Salvador Dalí, est anticommuniste. Rebelles, leur liberté les rend réfractaires à la discipline d'un groupe. »

---

35. Moscou, 1971, en russe. Dominique Desanti en a traduit des extraits dans sa biographie de Marina Tsvétaïéva, *Le Roman de Marina*, Belfond, 1994, p. 236-238.
36. De retour dans son pays en 1939, elle s'y suicidera en 1941.
37. *La Vie secrète de Salvador Dalí, op. cit.*, p. 223.

sont exclus du Parti à la fin de l'automne 1933. Quoique désormais indépendants, ils vont continuer de flirter avec les théories marxistes. En 1934, l'année des révoltes en Espagne et du procès Dalí, qui est aussi l'année de leur mariage à tous deux et celle qui suit sa propre exclusion du Parti, Eluard publie *La Rose publique*, où l'amour des pauvres se mêle à l'amour de Nusch, dans la nébuleuse de la lourde nostalgie de ce qu'il a perdu.

> *La triste et douce vérité*
> *Que l'amour est semblable à la faim à la soif*
> *Mais qu'il n'est jamais rassasié*
> *Il a beau prendre corps il sort de la maison*
> *Il sort du paysage*
> *L'horizon fait son lit*[38].

Pendant ce temps, Dalí flirte à droite, voire à l'extrême droite. C'est qu'il a trouvé là un épouvantail à brandir à la face des sympathisants de gauche. « Autour de moi, expliquera-t-il, la hyène de l'opinion publique hurlait et voulait que je me prononce : hitlérien ou stalinien ? Non, cent fois non. J'étais Dalínien, rien que Dalínien. Et cela jusqu'à ma mort. Je ne croyais à aucune révolution. Je ne croyais qu'à la qualité suprême de la tradition[39]. » Contrairement à la grande majorité des intellectuels contemporains, il est, comme il l'écrit lui-même, profondément « apolitique et ennemi de l'Histoire[40] ». Irrécupérable, en somme. Lorsqu'en Espagne, jusque dans son village, les anarchistes se déchaînent, entraînant partout des violences civiles, il craint avant tout pour sa propre sécurité. Comme Dalí, Gala n'a qu'une politique : celle qui sert son égoïsme suprême. Les Dalí, mari et femme, ont ceci en commun : ils préfèrent l'ordre au désordre, la paix à la guerre civile et le confort à la révolution. Politiquement indifférents – « La politique ne m'a jamais intéressé. Je la trouve anecdotique et misérable », écrit encore Dalí –, ce qui les rallie à un camp, c'est le souci de leur sécurité.

Or, l'Espagne est à feu et à sang. En octobre 1934, « il grêle sur Barcelone », selon l'expression de Dalmau, propriétaire de la galerie où expose régulièrement Salvador. L'indépendance proclamée, des manifestations d'une grande violence secouent la ville et les villages environnants, où la population règle ses comptes, exécutant sur les places publiques des sentences de mort comme un vrai tribunal. Les pilleurs se mêlent aux idéalistes, les bandits aux théoriciens. Très vite, c'est le chaos, il est difficile d'y voir clair parmi les tendances multiples qui se partagent le pays et se font la guerre comme des ennemis. Dalí – il

---

38. *Œuvres complètes*, t. I, p. 418-419.
39. *La Vie secrète de Salvador Dalí, op. cit.*, p. 281.
40. *Ibid.*, p. 280.

l'avouera sans honte – est d'un tempérament peureux. La peur est même le fondement de son être : il peint pour se délivrer d'obsessions nées de ses paniques. Malgré son attachement viscéral pour son village, il décide de plier bagage et de partir. Gala, qui est pour lui la voix du calme et de la raison, cette fois-ci ne le rassure pas. Comme lui, elle tremble et veut fuir. Mais ils iront auparavant envelopper les toiles et charger dans un taxi tout ce qui peut être emporté. À la mi-octobre 1934, le couple franchit la frontière non sans mal, après avoir évité un tribunal civil improvisé dans le dernier village qu'ils traversent. Leur chauffeur sera abattu au retour, d'une balle perdue, dans les rues de Barcelone. Parvenus sains et saufs à Cerbère, ils regagnent Paris avec le sentiment de l'avoir échappé belle et la terrible nostalgie de laisser derrière eux le village catalan. À Paris, Dalí, en proie à un terrible pressentiment, peint un tableau qu'il intitule *Prémonition de la guerre civile* : il représente un grand corps humain grouillant de bras et de jambes « s'étranglant mutuellement dans le délire ». La révolution, fût-elle celle des indépendantistes catalans, n'éveille en lui – comme en Gala – que le sentiment de l'horreur.

MUSE OU SORCIÈRE ?

Pendant dix ans, le couple Dalí est soudé telle une hydre à deux têtes. Partout où s'aventure le peintre, son épouse est à son côté, silencieuse et secrète. Inspiratrice [41], elle est beaucoup plus qu'une muse ; il l'appelle son « Ange de l'équilibre ». Ensemble, immortalisés par les plus grands photographes contemporains, ils forment un couple étrange et en apparence peu assorti. Il est excentrique, elle est sobre et austère. Quand il sort dans le monde, il cultive une allure de dandy. Gala l'accompagne en tailleur Chanel, impeccable et classique, aussi économe de ses effets, de ses paroles ou de ses sourires qu'il en est prodigue. S'étant donné pour mission d'organiser autour de lui la paix et le confort, elle est le garde-fou du génie. « La différence entre moi et un fou, c'est que moi je ne suis pas fou ! » De fait, Dalí, depuis qu'il connaît Gala, a beaucoup changé, par tout un style qu'elle a largement contribué à façonner et qui s'affirme résolument hardi et différent. Le jeune homme sauvage de Cadaqués s'est aguerri. Dans ce dur combat de propagande et d'auto-promotion que sera la vie de Salvador Dalí, elle est partie prenante.

Étendant son activité de peintre à tous les domaines où son imagination lui ordonne d'exister, il dessine des objets. En vrac : des ongles

Gala et Dalí photographiés par Man Ray en 1936.

---

41. Gonzague Saint-Bris et Vladimir Fedorovski consacrent à Gala un chapitre de leur livre : *Les Égéries russes*, J.-Cl. Lattès, 1994 (p. 129 à 197). Avec Elsa Triolet, Olga Picasso et Lou-Andreas Salomé, elle y figure de tout son éclat.

artificiels pourvus de miroirs pour se regarder ; des lunettes kaléidosco-
piques à mettre en voiture pendant la traversée des paysages ennuyeux ;
des souliers à ressorts ; des faux seins à porter dans le dos ; des carros-
series aérodynamiques pour automobiles de luxe… En Angleterre, il
entreprend de métamorphoser le
pavillon de chasse médiéval que
l'un de ses mécènes, un richissime
Anglais, lui a demandé de changer
en demeure de rêves surréalistes.
L'art doit envahir la vie et se mêler
de tout. Le voici donc dessinant
des projets pour Edward James,
qui passe pour être le petit-fils
naturel d'Édouard VII.

Première exposition
surréaliste internationale
à Londres en 1936.

Il offrira à Gala le seul bijou
qu'elle aime porter : un bracelet
en or, très modern style. Dalí aura
dessiné pour lui le plan fou d'un
grand salon dans lequel les hôtes
se sentiraient comme à l'intérieur
des entrailles d'un chien vivant.
Les parois s'élargiraient et se res-
serreraient au rythme d'une respiration fictive, dont l'illusion serait ren-
forcée par le bruit permanent d'un halètement… Le projet a avorté,
semble-t-il à cause de la crise de Munich. Le grand salon de James ne
verra pas le jour. Il aura cependant été précédé d'autres inventions abra-
cadabrantes, qui vont faire autant que ses tableaux la réputation de
Dalí : la piscine enchantée où nagent de fausses sirènes, le taxi inondé
où siègent des poupées couvertes de mouches et de homards, le veston
aphrodisiaque – exposé à Londres en 1936, incrusté de verres de liqueur
et de mouches – connaîtront de francs succès. De même que les vitrines
de Bonwitt-Teller à New York, avec leurs mannequins drapés de poussière et de mouches (toujours !), censés représenter le Jour et la Nuit,
que l'artiste noiera dans les eaux d'une baignoire après avoir fait scandale jusque sur le trottoir.

Lorsque Gala manque à l'appel – phénomène rarissime –, il arrive
malheur à Dalí. Ainsi, aux New Burlington Galleries de Londres, l'année de la première exposition surréaliste internationale (juillet 1936),
d'ailleurs inaugurée par Breton, celle où il a nourri la chronique avec
son *Veston aphrodisiaque*, il a failli y rester. Après une entrée sensation-
nelle dans la salle de conférences, il prononce un de ses textes sibyllins,
sur « Quelques authentiques fantômes paranoïaques », escorté de deux
lévriers blancs et habillé d'un scaphandre aux semelles si lourdement
lestées de plomb qu'il faut le porter sur l'estrade. Gala s'éclipse pour
aller boire un café tandis qu'à travers sa bulle de verre et d'acier il tente

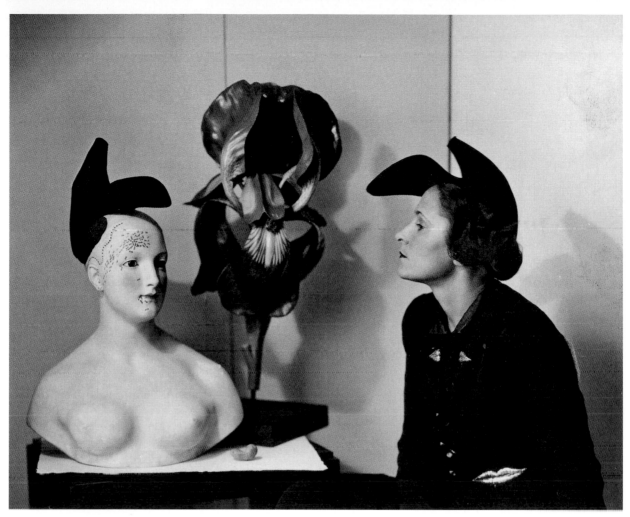

Gala coiffée du chapeau-
chaussure conçu par Dalí
et Elsa Schiaparelli.

d'assener un discours que personne ne peut entendre… La conférence aurait été un nouvel échec si le public ne s'était tout à coup intéressé à la pantomime grotesque de Dalí, qui, en proie à l'asphyxie, s'agite comme un Guignol. Il faut courir chercher Gala pour libérer Dalí à l'aide de la clé anglaise qu'elle a dans son sac : le casque était verrouillé. Quelques secondes de plus et l'assistance applaudissait en direct la mort de l'artiste.

Il lui arrive de n'être pas seulement une spectatrice privilégiée des folies de Dalí, mais d'y participer. Elle adopte provisoirement le style somptueux et baroque de la couturière Elsa Schiaparelli, le temps que Dalí signe pour Schiap des collections de robes et de chapeaux. Dans une robe de fée à boutons en faux chocolats couverte d'abeilles, dans une autre qui porte des incrustations de pattes de homard. En tailleur brodé de lèvres pulpeuses. Tenant à la main un sac en daim bleu qui a la forme exacte d'un téléphone. Ou arborant sur la tête, avec une décontraction superbe, le chapeau clou de la collection : un escarpin noir à talon aiguille !

Au rythme des facéties de Dalí, le couple prospère, abandonne Montrouge pour la rue de l'Université et s'attable dans les grands restaurants. Les tableaux de Dalí ont désormais une cote et sont en passe de conquérir le Nouveau Monde. Après deux expositions collectives, à l'automne 1933, une galerie de Madison Avenue lui consacre une exposition exclusive, un premier et décisif succès. Le propriétaire de la galerie, Julien Lévy, un jeune homme enthousiaste, note leur fabuleux pouvoir de séduction ; les tableaux trouvent rapidement des acqué-

Gala et Dalí à bord du paquebot *Champlain*, novembre 1934.

reurs. *Persistance de la mémoire*, avec ses montres molles, est vendu le soir du vernissage. Les critiques d'art les plus sévères, parmi lesquels l'illustre Lewis Mumford, chantent les louanges de ce peintre qu'ils réclament à New York. Dalí a peur de traverser l'océan. Il faudra un long travail de persuasion de Gala pour le convaincre…

En décembre 1934, il descend du *Champlain*, le paquebot où il a eu tant de mal à embarquer et où il n'a osé s'aventurer que harnaché du gilet de sauvetage et crispé jour et nuit, comme si elle le tenait en laisse, sur la main de Gala. Sur le quai de New York, les journalistes, auxquels Julien Lévy a annoncé à grand fracas son arrivée, sont venus à sa rencontre. Enfermé dans sa cabine, en proie à une crise de timidité, il se fait attendre, il est malade de peur. Son amie Caresse Crosby, qui a fait le voyage avec Gala et lui, tente une diversion. Puis Dalí, enfin rassuré, se précipite devant eux. Il porte une baguette de pain que le cuisinier du bord a fabriquée exprès pour lui, baguette de pain de plus d'une vingtaine de mètres. Après avoir brandi ce premier talisman, tandis que Gala, tel un sphinx, se tient derrière lui, il sort un portrait de sa femme habillée par Schiaparelli. Gala y arbore un chapeau à côtelettes de mouton et tailleur assorti. Les journalistes ne comprennent pas. On interviewe Dalí, qui ne parle pas anglais. Caresse Crosby sert d'interprète. L'accent catalan paraît être le comble de l'exotisme. Dès le lendemain, l'arrivée est commentée en première page, illustrée par la photo insensée de Gala. « J'aime les côtelettes et j'aime ma femme, a déclaré Salvador Dalí. Je ne vois aucune raison de ne pas les peindre ensemble. » Et, à un journaliste distrait, il a précisé : « Les côtelettes ne sont pas *grillées*, elles sont crues. » « Pourquoi ? » a demandé le journaliste. « Parce que Gala aussi est crue », a-t-il répondu du tac au tac, en roulant le *rrrr*…

Les chapeaux de Gala, signés Dalí, feront scandale en Amérique. Si Dalí amuse, très tôt, à ses côtés, Gala fait peur. Le 18 janvier 1935, les Dalí sont toujours à New York. Pour fêter le succès de celui qu'elle présente partout comme son poulain, Caresse Crosby a loué le Coq Rouge, une boîte à la mode, et y a organisé pour quelques centaines d'intimes un « bal onirique » : sur le carton, elle a prié ses invités de se présenter habillés comme dans leurs rêves. Elle a conçu pour la fête un décor somptueusement surréaliste. Une baignoire remplie d'eau, placée en équilibre instable, à mi-escalier, menace à chaque instant de verser. Dans le salon principal, une carcasse de bœuf écorché, dont le ventre béant est maintenu par des béquilles, grouille de phonographes. Un homme et sa fille y prennent le thé. Les Américains se sont surpassés en inventions macabres et farfelues. Une femme porte une couronne de tomates vertes. Une autre a la tête prise dans une cage à oiseaux. Une autre s'est dessiné sur le visage des coupures de lame de rasoir où sont plantées, on ne sait comment, des épingles à chapeau. Une autre encore, en longue robe de soie grise de face, est complètement nue de dos. Un homme en chemise de nuit ensanglantée exhibe une table de nuit en équilibre sur la tête : lorsqu'il en ouvre la porte, une nuée de mouches s'en échappe… Il règne une atmosphère démente de cauchemar éveillé. Dalí a soigné son costume : il est en « cadavre exquis ». En smoking et la tête enveloppée d'un bandage, il a sur la poitrine un trou à la place du cœur. Ce trou, de forme carrée, éclairé de l'intérieur, laisse apparaître une paire de petits seins dans un soutien-gorge. Mais c'est Gala, impassible et hiératique comme toujours, habillée par son magistral époux, qui lui ravit la vedette. En jupe de cellophane rouge et bustier vert, elle arbore une gigantesque coiffe noire, particulièrement sinistre : en son centre, une poupée de Celluloïd représente, sur un mode réaliste, un bébé mort dont le cadavre est déjà en décomposition. Son ventre est dévoré par des fourmis, sa cervelle tenaillée par les pinces d'un homard fluorescent.

Mais pour l'Amérique, le costume de Gala est une insulte. Le pays est en effet sous le choc de l'assassinat du bébé Lindbergh, fils de l'illustre aviateur qui a franchi l'Atlantique. Son meurtrier, un dénommé Hauptmann, a été jugé quelques semaines auparavant. Dalí a beau essayer de défendre sa femme et nier toute référence au bébé pleuré par l'Amérique, Gala restera, outre-Atlantique, la femme immonde qui a osé exhiber sur sa tête, tel un trophée, le cadavre d'un enfant innocent. Sa réputation est faite.

LA FATALITÉ
DES GRANDS DÉPARTS

Si Gala, qui passe chaque jour des heures à aligner des réussites, sait lire l'avenir dans les cartes, ce n'est pas seulement celui de Dalí qu'elle prédit. Elle lui annonce avant qu'ils ne se produisent des événements capitaux mais de sinistre augure.

Le 19 juin 1935, les Dalí sont chez eux, rue Gauguet, un coup de téléphone vient confirmer ce que Gala redoutait : le suicide de Crevel. La tuberculose dont il souffrait depuis sa jeunesse avait connu un terrible regain. À Cadaqués, pendant l'une de ses visites, il avait été victime d'un malaise et d'une hémoptysie. Il se soignait et acceptait de séjourner plusieurs mois par an dans des sanatoriums de montagne, où Paul Eluard, infiniment moins atteint, le retrouvait parfois. Durant l'hiver 1933, Eluard, déjà témoin de la gravité de son état, écrit à Gala, en lui recommandant de n'en rien dire à Crevel, qu'on lui a découvert de nouveaux bacilles, « quatre par champ. Il est désespéré[42] ». Crevel doit subir une intervention chirurgicale dont le succès est incertain. « C'est excessivement dramatique ! » La tuberculose gagne du terrain, elle menace tout l'organisme et notamment les reins. Ensemble, ils essaient de se distraire, travaillent pour la nouvelle revue *Le Minotaure* et font mille projets. « Cre-Cre » se sait condamné à plus ou moins brève échéance. Son suicide a lieu sur fond du Congrès international des écrivains pour la défense de la culture. Crevel intervient à plusieurs reprises pour réconcilier les deux tendances auxquelles il est attaché. Or, le 14 juin, agacé, Breton gifle l'un des membres éminents du Congrès : Ilya Ehrenbourg – ce qui aggrave encore sa marginalité. N'obtenant qu'un temps de parole dérisoire pour Eluard – Breton est radicalement écarté – et sentant bien l'impossibilité de la communion marxo-surréaliste, il n'aura pu que constater son échec. Les déchirements politiques lui renvoient l'écho de déchirements plus intimes, ayant trait, selon ses amis,

---

42. *Lettres à Gala*, op. cit., p. 187.

Gala et Dalí à l'intérieur du pavillon « Dream of Venus » construit par l'architecte Ian Woodner et conçu par Dalí pour l'Exposition universelle de New York en juin 1939.

à son homosexualité, et exacerbent encore le climat de souffrance et l'épuisement liés à sa maladie. Le 19 juin, reproduisant à quelques années d'intervalle le suicide de son propre père, qui s'était pendu en 1914, Cre-Cre s'enferme chez lui. Il ouvre les robinets du gaz. Auparavant, il s'est couché dans la baignoire avec ce mot épinglé au revers de son veston: «Je suis écœuré, écœuré.» Il n'avait pas trente-cinq ans.

Lorsque Dalí et Gala apprennent la nouvelle, ils éprouvent l'un et l'autre une première réaction instinctive: la peur de la contagion. À Dalí qui se précipite cependant pour aller dire un dernier adieu à Crevel, Gala crie, du haut des marches de l'escalier: «Surtout, ne l'embrasse pas!» Ce n'est qu'au retour de Dalí – selon le témoignage de David Gascoyne – qu'ils laisseront filtrer leur émotion: «Lorsque Dalí revint et nous raconta cela, Gala, qui était une femme dure, eut des larmes aux yeux et lui aussi[43].» La mort de René Crevel se situe à l'aube des catastrophes qui vont lentement emporter le monde occidental. En 1936, le Front populaire gagne les élections en France. Blum n'est pas l'idole des surréalistes. Eluard hésite, s'éloigne de Breton, qui affiche trop à son goût des idées trotskistes; il retrouve pour le communisme stalinien un peu de sa sympathie perdue tandis qu'une autre amitié s'épanouit: celle qui va le lier toute sa vie durant à Pablo Picasso.

Gala et Dalí.

Les deux hommes passent leurs vacances, en juillet 1936, à Mougins, avec leurs compagnes, Nusch et Dora Maar. Les Dalí, eux, délibérément ailleurs, ont depuis plusieurs saisons opté pour l'Italie: ils séjournent, en 1934, 1935 et 1936, à Rome et à Florence, chez les milliardaires surréalistes Edward James et lord Berners, à des années-lumière de Léon Blum et du Front populaire, dans le camp le plus honni des intellectuels de gauche: celui du fascisme et de ses nouveaux césars. Aux grincements de dents et aux franches accusations de ses «amis», Dalí répond que la politique l'indiffère, que ce qu'il cherche en Italie c'est la *Renaissance*. Il clame à qui veut l'entendre que le Duce a attendu son arrivée à Rome, le 3 octobre 1935, pour envahir l'Abyssinie... Picasso son compatriote est quant à lui «pour les

---

43. Témoignage cité par Meryle Secrest dans *Salvador Dalí*, Hachette, 1988, p. 152.

Rouges ». Dalí refuse d'être assimilé aux fascistes : il n'a jamais levé le bras pour saluer un quelconque leader chaussé de bottes noires. Il est monarchiste avec ferveur. Catholique avec outrance. Et anticommuniste depuis la première heure, résolument antistalinien. Gala approuve son choix, et, comme lui, nourrit sa terreur aux fascismes de gauche. Depuis février 1936 et la victoire aux élections législatives du *Frente Popular*, les grèves, les attentats, les occupations sauvages de propriétés, les violences antireligieuses sèment partout, à Madrid et dans les provinces, le désordre et la peur. Le 13 juillet, après l'assassinat d'un des chefs de l'opposition, Calvo Sotelo, une partie de l'armée se soulève contre le gouvernement. Le général Franco débarque du Maroc avec ses troupes rebelles. C'est la guerre civile qui commence.

Cet été-là meurt, assassiné, le poète du *Romancero gitano* et de la *Mala Muerte*, Federico García Lorca. Alors qu'il séjourne à Grenade, auprès de son père malade, les franquistes prennent la ville. Lorca, « le poète le plus apolitique de la terre », ainsi que le définit son ami Dalí, dénoncé pour une faute inconnue, est arrêté, emmené on ne sait où et fusillé par on ne sait qui, comme tant d'autres individus innocents, victimes de la haine. « Il mourut symboliquement, victime propitiatoire de la confusion révolutionnaire [44]. » À l'âge de trente-sept ans. Son corps ne sera pas identifié, sa tombe est une fosse commune. La disparition de Lorca provoque leur rupture définitive avec une Europe qu'ils jugent l'un et l'autre absurde, rongée par des idéaux contradictoires, coupable de trop de lâchetés et incapable d'assurer la paix aux poètes qui la réclament. Crevel suicidé, Lorca assassiné, il n'est plus pour eux deux qu'une solution : partir. Lorsqu'il a appris la mort de Lorca, par la presse, Dalí aura seulement crié « Olé [45] ! ». Son dégoût de la politique est définitivement consommé.

Autour d'eux, les camarades surréalistes de Gala et de Dalí soutiennent, d'ailleurs plus moralement que physiquement, les forces républicaines. Ils prennent tous parti contre Franco, pour le peuple de gauche. Seuls Benjamin Péret et Yves Tanguy s'engagent et vont prêter main-forte aux Brigades internationales. Paul Eluard, qui a déjà quarante ans, demeure spectateur : « Je rêve, écrit-il, de partir pour me mettre au service des Espagnols. Quand formera-t-on une légion étrangère pour détruire celle des fainéants, des esclaves [46] ? » Il ne participera de fait à aucun combat. Après la publication des *Yeux fertiles*, poèmes d'amour, il fait cependant paraître *Novembre 1936*, un premier poème « vraiment politique », selon l'un de ses biographes [47] :

---

44. *La Vie secrète de Salvador Dalí*, *op. cit.*, p. 282.
45. Confidence de Dalí à Alain Bosquet, que ce dernier cite dans ses *Entretiens avec Salvador Dalí*, Belfond, 1966, p. 50.
46. Lettre à Louis Parrot, citée par Jean-Charles Gateau, *Paul Eluard*, *op. cit.*, p. 237.
47. Luc Decaunes, *Paul Eluard*, Balland, 1982.

Regardez travailler les bâtisseurs de ruines
Ils sont riches patients ordonnés noirs et bêtes
Mais ils font de leur mieux pour être seuls sur terre [48].

L'année suivante, tandis que Picasso, au lendemain du massacre, peint *Guernica*, le tableau de la rage impuissante, et qu'Eluard écrit les quatorze couplets d'un poème dédié aux innocentes victimes de ce village du Pays basque, en avril 1937, Dalí et Gala se reposent à Cortina, dans les Alpes autrichiennes. Ils rentrent des États-Unis et d'un énième voyage en Italie. En Europe, de tous côtés, la menace se fait de plus en plus vive. En janvier 1938, la dernière exposition surréaliste ouvre ses portes à Paris : Dalí y présente son *Taxi pluvieux*, avec un chauffeur à tête de requin et une passagère couverte d'escargots de Bourgogne, particulièrement sinistre sous l'humour noir. Cette exposition, qui finira de diviser les surréalistes, sonne le glas d'une époque heureuse. Gala n'a pas prédit pour rien l'ouverture imminente des hostilités. À la déclaration de guerre, Paul Eluard – quarante-quatre ans – redevient le lieutenant Eugène Grindel. Ancien de la classe 15, il est mobilisé dans l'intendance et affecté à la gare de triage de Mignères-Gondreville, dans le Loiret, où Nusch le rejoint. Cécile, qui a vingt et un ans, s'est mariée à l'automne 1938, en présence de ses père et mère, avec un poète qui s'appelle Luc Decaunes, lequel sera enrôlé dans un régiment de tirailleurs, puis fait prisonnier. Max Ernst – quarante-huit ans – est dans le Midi avec sa maîtresse, Leonora Carrington, ravissante Anglaise et talentueuse peintre. Le lendemain de la déclaration de guerre, les gendarmes viennent l'arrêter en tant que ressortissant allemand. Il passera plusieurs mois dans un camp de prisonniers et n'en sortira à Noël que sur l'intervention de Paul Eluard, qui s'est adressé directement à Albert Lebrun, président de la République. Quant à Gala et Dalí, respectivement quarante-six et trente-cinq ans lorsque la France déclare la guerre à l'Allemagne, ils quittent aussitôt Paris pour le Sud, loin de la frontière du Rhin. Ils louent une maison confortable à Arcachon, la villa Flamberge, où ils profitent agréablement du climat, des bons vins et des grands restaurants. Leur voisine est Leonor Fini. Ils vont passer la fin de l'année 1939 et tout l'hiver 1940 dans la région bordelaise. Dalí travaille beaucoup. De loin, Eluard, toujours attentif, veille sur le couple. Le 27 septembre, il écrit de Mignères : « Soyez sages et forts. Si tu me manquais c'est toute ma formation qui me manquerait. Et mon espoir survivrait-il ? Je jette de grands ponts sur la vie mais tu en es le départ. Ne me quitte plus. Ton bonheur, ta confiance dans la vie me sont indispensables. Ce ne sont pas les guerres qui peuvent nous séparer réellement, mais ce malheur caché en nous et qu'il faut tuer. Nous nous aimons pour vivre [49]. »

« Gala et Dalí, lorsque la France déclare la guerre à l'Allemagne, quittent aussitôt Paris pour le Sud, loin de la frontière du Rhin. »

48. *Œuvres complètes*, t. I, p. 802.
49. *Lettres à Gala, op. cit.*, p. 300.

À l'entrée des troupes allemandes dans Paris, en juin 1940, Leonor Fini a été le témoin de la panique des Dalí. Elle les a vus faire leurs paquets, emballer les précieuses toiles et fuir vers la frontière avec leurs bagages. Dalí, qui veut revoir son père et sa maison, retourne en Catalogne, tandis que Gala file sur Lisbonne pour préparer leur départ vers l'Amérique. Il y a foule lorsqu'elle arrive sur le quai ; la ville était « une maison de fous pleine de réfugiés de toute l'Europe », écrit Man Ray, qui a fui lui aussi. En mai 1940, Max Ernst a été une nouvelle fois arrêté par les gendarmes et transféré dans un camp de prisonniers. Évadé, repris, à nouveau libéré, il a rejoint à Marseille André Breton et quelques autres artistes, dont Benjamin Péret et André Masson, comme lui venus chercher un bateau pour l'exil. Leonora Carrington est devenue folle : elle a été internée. Max ne l'a pas revue. À l'hôtel Bel-Air, certains artistes réfugiés devront patienter presque une année entière avant de trouver une occasion d'embarquer.

Gala et Dalí à Arcachon chez Leonor Fini.

Avant de partir, Dalí aura dit au revoir à son père et à sa sœur, avec lesquels il s'est réconcilié. Il a revu le village et la maison de son enfance, revu aussi Port Lligat où il laisse sa cabane en planches, ouverte aux quatre vents, pillée et en partie détruite, à la garde de Lydia *la ben plantada*, dont les deux fils fous sont morts à l'asile. Au vieux continent exsangue les Dalí tournent le dos, sans un regret. Embarqués avec leur ami Man Ray, ainsi que René Clair et sa femme, le 6 août 1940, sur l'*Excambion*, ils accosteront seize jours plus tard à Hoboken, le port de New York, après une traversée sans problème – si ce n'est que, à cause de la cohue, ils ont dû se contenter de matelas posés à même le sol de la bibliothèque. Dans une dernière lettre, datée du 7 octobre, avant un très long silence dont tous ignorent qu'il durera cinq ans, Eluard leur donne sa bénédiction : « *Il vous faut être heureux. Nous nous reverrons un jour* [50]. » Pendant toute la traversée, Gala a tenu la main de Dalí. Avec elle, il a la force de croire en l'avenir : « Peau neuve et terre neuve [51] ! » crie-t-il en débarquant sur le quai du port de New York. Alors que Man Ray est déprimé, violemment déçu de devoir rentrer au pays qui n'est plus le sien depuis vingt ans et dont il n'attend rien de bon, alors que René Clair et sa femme affichent leur sentiment d'inquiétude devant l'exil, Gala se montre tout optimisme. « J'ai tué mon passé, écrira Dalí, comme un serpent se débarrasse de sa vieille peau. » Gala n'en est pas à sa première expérience.

---

50. *Ibid.*, p. 305.
51. *La Vie secrète de Salvador Dalí, op. cit.*, p. 303.

DÉESSE, MADONE, WALKYRIE

GALA,
LE TYRAN DU MANOIR

Les six premiers mois de leur vie en Amérique, les Dalí n'habitent pas New York, mais la campagne, en Virginie, chez leur amie Caresse Crosby. Une belle propriété, baptisée Hampton Manor, où Caresse, qui a horreur de la solitude et le cœur sur la main, reçoit un nombre incalculable de visiteurs. Les Dalí y prennent vite leurs habitudes et en quelques mois vont imposer leur rythme à toute la maisonnée. Spectatrice amusée de cet étrange couple qui mêle timidité et arrogance, l'écrivain Anaïs Nin, invitée occasionnelle du manoir, les photographie et dresse leur portrait dans son *Journal* : «Tous deux, petits de stature, s'assirent l'un près de l'autre. Tous deux d'aspect peu remarquable, elle dans des tons modérés, un peu passés, et lui dessiné au fusain comme le dessin que ferait un enfant d'un Espagnol [...] à part l'incroyable longueur de sa moustache. Ils se tournaient l'un vers l'autre comme s'ils recherchaient une protection, à être rassurés, ils n'étaient ni ouverts, ni confiants, ni à leur aise[1]. » Elle remarque l'ascendant de Gala. Salvador consulte son épouse du regard à chaque instant, tandis qu'elle le protège et le surveille comme un petit garçon agité. À Hampton Manor, personne n'a prévu ce qu'Anaïs Nin appelle « la puissance d'organisation » de Gala. « Avant même que nous nous en rendions compte, écrit-elle, la maison fonctionnait pour le bien-être de Dalí. L'accès à la bibliothèque nous était interdit parce que Dalí s'apprêtait à y travailler. Est-ce que l'un des invités aurait l'amabilité de faire un saut jusqu'à Richmond pour y chercher diverses babioles dont Dalí avait besoin pour peindre ? Serais-je assez aimable pour lui traduire un article ? Caresse voudrait-elle inviter *Life Magazine* à lui rendre visite ?... Nous nous acquittions chacun de la tâche qui nous incombait. Madame Dalí n'élevait jamais la voix, ne séduisait ni ne charmait. Elle assumait tranquillement que nous étions tous là pour servir Dalí, le grand, l'indiscutable génie[2]. »

L'artiste aime se lever tôt, vers sept heures et demie. Dès huit heures, il est à ses couleurs, jusqu'au déjeuner qu'il prend en compagnie des autres invités. Pour le café, servi dans le jardin, il a son propre rite : il demeure assis sur le perron, refusant de s'aventurer sur la pelouse par peur des sauterelles. En revanche, sur cette pelouse, un piano à queue voisine désormais avec une vache attachée à un pieu ! À Hampton Manor, les caprices de l'artiste sont sacrés. Après le café, les Dalí

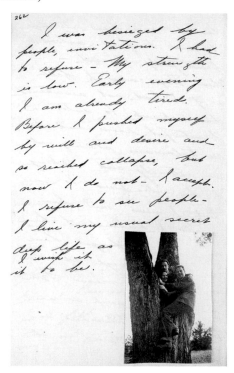

Page du *Journal* d'Anaïs Nin citant Gala et Dalí.

p. 168
Gala photographiée par Horst P. Horst.

---

1. *Journal, 1939-1944*, Stock, 1971, p. 60.
2. *Ibid.*

Gala et Dalí tenant
le manuscrit de *La Vie
secrète* de Salvador Dalí,
1941.

regagnent leur chambre pour la sieste. Puis Dalí reprend son travail jusqu'au soir, dans l'atelier que Caresse réserve à son usage exclusif, tandis que Gala veille à ses côtés. Le dîner leur est servi dans leur chambre.

Gala, s'initie rapidement à l'anglais et le pratique avec aisance, gardant son impérial accent russe. Dalí est au contraire rebelle à l'apprentissage. Ou feint de l'être. Lorsque quelqu'un s'adresse à lui, il attend qu'on lui traduise la phrase. Lorsqu'il daigne répondre, c'est avec un accent hallucinant et un vocabulaire « barbarique ». Exemple : *butterfly*, devient *bouterrreflaaaaaiiiu…* Gala sert d'interprète – ce nouveau rôle accentue encore son omniprésence. Quant à Dalí, avec son accent fou, il sculpte son personnage. La moustache s'allonge démesurément : c'est en Virginie que le folklore dalínien s'organise et se structure.

Anaïs Nin aime bien Dalí. « Il était plein d'inventions et de fantaisies débridées. Il perdait sa timidité lorsque j'apparaissais. Il me montrait son travail. » Sous la carapace, « le petit Dalí », de l'aveu de tous ceux qui l'ont bien connu, demeure un individu sensible, timide, peureux, tendre, et d'une extrême gentillesse. À Hampton Manor, bien qu'il peigne une dizaine de toiles, il prend le temps d'écrire son autobiographie. Le propos est plutôt rare, à moins de quarante ans. « D'ordinaire, écrit-il, les écrivains rédigent leurs Mémoires après avoir vécu, vers la fin de leur existence. À l'encontre de tout le monde, il m'a semblé plus intelligent d'écrire d'abord mes Mémoires puis de les vivre. Vivre ! Pour cela, il faut savoir liquider la moitié de sa vie, afin de poursuivre l'autre, enrichi par l'expérience [3]. » Lorsque Dalí demeure des heures à sa table et écrit fiévreusement, Gala reste près de lui. De temps en temps, elle rassemble les feuillets épars, les classe, puis les apporte à Caresse pour que cette dernière les tape à la machine. Il écrit dans un français mâtiné de catalan, sans respecter ni la ponctuation, ni la syntaxe, ni l'orthographe. Il faudra des mois à un traducteur américain pour décrypter ce texte hallucinant. *La Vie secrète de Salvador Dalí* paraîtra en anglais, à l'automne 1942. Dix ans plus tard, elle sera retranscrite dans sa langue originale par Michel Déon et paraîtra aux éditions de la Table ronde. Plus qu'une autobiographie, après dix ans de vie commune, un chant d'amour : *À Gala-Gradiva, celle qui avance.* « Le Ciel, voilà ce que mon âme éprise d'absolu a cherché tout au long d'une vie qui a pu paraître à certains confuse et, pour tout dire, parfumée au soufre du démon. Le Ciel !…, écrit-il dans l'épilogue. Et qu'est-ce que le Ciel ? Gala est déjà réalité [4] ! »

Une nuit, à Hampton Manor, le mari de Caresse Crosby, un beau jeune homme qu'elle a épousé en 1937, Selbert Young, et avec lequel elle est en instance de divorce, se soûle, selle un cheval et galope autour de la maison en tirant des coups de pistolet en l'air. Il entre dans la

---

3. *La Vie secrète de Salvador Dalí, op. cit.*, p. 303.
4. *Ibid.*, p. 307-308.

Gala et Dalí chez Caresse
Crosby en février 1941.

Ces photos ont à l'origine
illustré un article de *Life*
consacré aux Dalí.

maison, allume les lumières, ouvre les portes en hurlant que tout le monde doit partir, qu'il ne veut plus personne chez lui, plus personne sous le toit de Caresse… Aucun des invités ne bronche ni n'obéit. C'est seulement lorsqu'il se met à crier qu'il va détruire tous les tableaux de Dalí qu'il obtient gain de cause. Les Dalí sautent du lit, en pyjama, se précipitent pour emballer les précieuses toiles et, trouvant à peine le temps de s'habiller, prennent aussitôt la route. Gala au volant et les tableaux de Dalí sur la banquette arrière, ils quittent Hampton Manor.

AVIDA DOLLARS !

Toute une colonie d'artistes français s'est reconstituée outre-Atlantique, où elle a transporté son folklore. Parmi eux : Tanguy, Léger, Chagall, Man Ray et Amédée Ozenfant, l'ami d'antan, qui note dans son journal qu'« en quelques jours se sont reformées des coteries et des intrigues à la parisienne [5] ». Les Dalí sont à part. Ils préfèrent fréquenter la société américaine huppée plutôt que le cénacle des nostalgiques de l'Europe. Ils font figure de marginaux – ils vont trop vite, trop bien s'assimiler, trop vite et trop bien fructifier.

Parmi leurs vieilles connaissances, André Breton incarne le mieux le malaise de l'expatrié, rebelle à toute adaptation. Il a pu quitter Marseille en mars 1941, après une attente qui a duré plus de six mois, et, grâce au Centre américain de secours, échapper à la police de Vichy qui le considérait comme un dangereux agitateur. Il a voyagé dans la cale, avec sa femme et sa fille, en compagnie de Victor Serge, le militant révolutionnaire, ancien prisonnier de Staline ; du peintre Wifredo Lam ; enfin de l'ethnologue Claude Lévi-Strauss, un habitué de la ligne pour des missions au Brésil. Breton habite Greenwich Village, le quartier des artistes et de la musique de jazz, avec Jacqueline et sa fille Aube. Il vit pauvrement, dans un minuscule appartement. Lui aussi est hermétique à l'anglais et refuse obstinément de l'apprendre. « L'Amérique ne s'impose que d'une manière toute négative. Je n'aime pas l'exil et je doute des exilés [6]. » Denis de Rougemont qui l'a bien connu là-bas dira que « l'Amérique n'est pas son fort [7] ». Breton réunit chez lui les anciens amis de la place Blanche, et il réorganise à New York leurs jeux collectifs, leurs recherches poétiques. En mars 1942, il trouve un emploi de speaker à l'Office of War Information : « La voix de l'Amérique parle aux Français. » Non seulement Breton et Dalí, à New York, ne renouent aucun lien, mais l'exil sonne le glas de leur amitié. Breton reproche à

---

5. *Mémoires*, Seghers, 1963.
6. Rapporté par Henri Béhar dans sa biographie *André Breton*, op. cit., p. 335.
7. *Journal des Deux Mondes*, Lausanne, La Guilde du Livre, 1948.

Dalí d'avoir un faible pour les dictateurs de droite, mais aussi de s'orienter dans la voie du succès commercial. Dalí, en effet, se vante de se conduire « en grande courtisane[8] ». Pour sa part, il n'a pas honte de vouloir faire fortune et refuse absolument d'être parmi les poètes maudits, qu'il appelle « les misérabilistes ».

Il en va ainsi avec Ernst, débarqué à New York par un avion en provenance de Lisbonne. Il a eu bien du mal à expliquer aux autorités américaines son désir d'émigrer : ressortissant allemand, dépourvu de motifs évidents, il a été soupçonné d'être un espion et a passé plusieurs jours dans la prison de l'aéroport de La Guardia. Sans l'aide de Peggy Guggenheim, tombée amoureuse de lui, il n'en serait pas sorti de sitôt. L'énergique Peggy s'occupe désormais de la promotion de ses tableaux. Ils vivent ensemble dans un somptueux hôtel particulier de Beekman Street, une rue cossue qui longe l'East River et où Max a un atelier en éperon sur la rivière. En décembre 1941, le peintre épouse Peggy Guggenheim et peut se consacrer à son oeuvre tourmentée. Curieusement, l'Amérique qu'il découvre, il semble la connaître déjà. À la suite de *L'Europe après la pluie* et *L'Antipape*, il peint en effet des tableaux qui représentent, dans une manière hallucinatoire, des paysages tels les marécages de Louisiane ou le désert de l'Arizona où il n'est jamais allé. Peggy affirme qu'il peint d'après « des prémonitions[9] ». L'immensité, la sauvagerie des sites, les contrastes de la lumière, il les adopte aussitôt. Max Ernst est de ceux qui très tôt ne songent plus à revenir. D'autant que Peggy, nièce de Salomon Guggenheim, cultive une passion pour l'art aussi considérable que sa fortune.

Gala en 1941.

Elle s'est constitué au fil des années une magnifique collection. Ayant vécu longtemps en Europe, elle a réussi à faire venir, malgré la guerre, tous les trésors qu'elle y a amassés. Elle raconte volontiers qu'elle achetait, à Paris, jusqu'à une toile par jour ! Et lorsqu'elle a découvert Max Ernst, elle est d'abord tombée amoureuse de sa peinture et a acquis d'un coup une dizaine de ses tableaux ! Parmi ses trésors, elle compte un

8.   Louis Pauwels, *Dalí m'a dit*, Carrère, 1989, p. 89.
9.   Peggy Guggenheim, *Ma vie et mes folies*, Plon, 1987, p. 213. « Il avait une faculté particulière pour représenter le futur. Sa peinture était totalement inconsciente et venait d'une source profonde en lui ; rien de ce qu'il fit ne m'étonna. »

magnifique Leonora Carrington, *Les Chevaux de lord Candlestick*, mais ne possède que deux Dalí. L'un est des moins extraordinaires : elle est assez fière de dire qu'« il ressemble peu à un Dalí [10] » ! L'autre au contraire, *La Naissance du désir liquide*, est selon elle « affreusement Dalí [11] »... Elle l'a acquis pour que sa collection fût « historique et sans aucun préjugé », mais elle n'aime pas le Catalan. Comme elle est obstinée et intrépide, elle va réaliser, dans sa galerie, au dernier étage d'un immeuble de la 57e Rue Ouest, la première exposition « L'Art de ce siècle », qui offre aux visiteurs ébahis, le 20 octobre 1942, débarrassées de leur cadre et accrochées à des cordes qui pendent du plafond (une idée de Duchamp), des œuvres résolument modernes : quatorze peintures et collages de Max Ernst (la vedette de l'exposition), un Kandinsky, plusieurs Klee et Picabia, un Juan Gris, un Léger, un Gleizes, un Delaunay, un Chagall, des Miró, des Tanguy, des Chirico, des Magritte, les deux Dalí, ainsi que des sculptures de Lipchitz et Laurens, de Giacometti,

Peggy Guggenheim et Max Ernst lors de l'exposition « L'Art de ce siècle » organisée par cette dernière en 1942.

Pevsner, Moore, Brancusi et Jean Arp (dont le bronze par lequel Peggy a commencé sa collection). André Breton a rédigé la préface du catalogue : « Genèse et perspectives artistiques du surréalisme », qui retrace toute l'histoire du mouvement et rend hommage à la plupart des artistes présentés.

Le trio Breton-Ernst-Duchamp (ce dernier est arrivé à New York en juin 1942) est le pilier sur lequel repose l'édifice fragile du surréalisme en exil. Breton et Ernst sont les « conseillers d'édition » de *VVV*, revue chic, miroir de l'avant-garde, de ses splendeurs et de ses tentatives. Dalí, pendant ce temps, flirte avec la presse à grand tirage ; les uns cultivent un cénacle de *happy few*, l'autre veut devenir riche et populaire. Ernst méprise son personnage, qu'il juge clinquant et obséquieux avec les riches. Jimmy Ernst rapporte cette anecdote : son père et lui se trouvant nez à nez, par hasard, avec Dalí dans une rue de New York, celui-ci tend la main à Ernst... et demeure la main tendue ; car Ernst se détourne et « dit d'une voix sifflante : "Ce chien couchant !", m'entraînant avec lui sur le trottoir d'en face [12]. »

10. *Ibid.*, p. 174.
11. *Ibid.*, p. 175.
12. Jimmy Ernst, *A Not-So-Still Life*, St. Martin's Marek, New York, 1984, p. 217.

Gala et Dalí se préparant
pour une fête costumée,
photographiés par
Hansel Mieth en 1941.

Qu'importe, Dalí fait cavalier seul. Dès 1941, le musée d'Art moderne organise une rétrospective de ses œuvres. L'Amérique aime Salvador Dalí, qui se constitue une clientèle de milliardaires fidèles – tels les Morse qui iront jusqu'à posséder quatre-vingt-quatorze Dalí – lui assurant de somptueux revenus. Si quelques-unes de ses plus belles œuvres évoquent le conflit qui ravage la planète, *Le miel est plus doux que le sang* (1941), *Girafes en feu* (*Las Llamas*, 1942) ou *Visage de la guerre* (1941), d'autres prouvent sa fascination pour les grands mythes de l'Amérique : Nativity of a New World en 1942 (*Naissance d'un Nouveau Monde*), *Poésie d'Amérique* en 1943, et surtout ce tableau au douloureux symbole, *Enfant géopolitique observant la naissance de l'homme nouveau* (1943). Très tôt, profitant de sa vogue, il produit du Dalí sur commande. Il ne dédaigne aucun support et se fait grassement payer. Aux yeux de Breton, il collabore à outrance au capitalisme américain. En 1941, *This Week Magazine*, le plus gros tirage du dimanche (quinze millions d'exemplaires), qui d'ordinaire fait plutôt sa couverture avec des vedettes de football, sort un numéro illustré d'un pain de Dalí ! Plus grave encore aux yeux des puristes : il compromet son talent dans de nombreux portraits mondains. Dalí a beau jeu de rappeler que Michel-Ange dessinait les jarretières du pape et les costumes des gardes du Vatican. Il peint les personnalités les plus huppées, et elles ont beau donner des milliers de dollars pour un portrait signé du maître, il se permet parfois la plus mordante ironie : le collectionneur Chester Dale, amateur de ses toiles, apparaît dans la même pose solennelle et avec presque la même tête que son inséparable caniche !

Couverture du catalogue de la première exposition consacrée à Salvador Dalí au MoMA en 1941.

Dalí s'enrichit et crée une véritable entreprise, qu'il va développer avec un sens commercial et un talent consommé pour l'autopromotion. Mais Gala est le cerveau de l'affaire. C'est elle qui très tôt négocie les contrats, elle qui dresse la liste des travaux et compte les dollars. Il s'occupe de peindre, elle veille à tout le reste. Les éditeurs d'art paient à Dalí jusqu'à cinq mille dollars des illustrations de livres, des patrons de presse six cents dollars des couvertures de magazine, des agences deux mille cinq cents dollars des annonces de publicité [13]. Tandis que la guerre fait rage, l'artiste fait sans vergogne « de la réclame » pour les fourrures Gunther, les voitures Ford, le chewing-gum Wrigley, les montres Gruen ou les parfums Schiap. Il y abuse de ses thèmes familiers, s'efforçant d'ancrer ses propres mythes dans le subconscient populaire. La comédie est lancée. « Il n'y a aucune sorte de déshonneur à marquer son siècle

---

13. Chiffres donnés par Meryle Secrest dans sa biographie *Salvador Dalí*, *op. cit.*, p. 185.

dans le plus grand nombre de domaines possible [14] », plaide-t-il. C'est en 1942 que Breton, exaspéré, invente l'anagramme : AVIDA DOLLARS.

Mais *Avida Dollars*, c'est surtout elle : il travaille dur à sa demande pour satisfaire les exigences de sa clientèle, mais elle passe elle-même les commandes et discute âprement les contrats. Elle demande toujours plus : d'un côté plus de peintures à vendre, de l'autre toujours plus d'argent. Paul Eluard disait qu'elle avait « un regard perceur de murailles ». Un mauvais esprit anglais [15] affirme qu'elle a plutôt un regard « perceur de coffres-forts ». Comme l'a confié l'honorable Mrs. Nichols (que Dalí a défigurée dans l'un de ses portraits) : « Je n'ai jamais vu un homme être à ce point l'esclave d'une femme. » Et d'ajouter : « Gala se chargea de la négociation. Elle avait une façon de pointer son doigt sur vous. Elle disait : "Nous vous ferons un prix." Mais elle voulait de l'argent liquide du début à la fin [16]. » Au fond de la personnalité de Gala, il y a une angoisse que rien n'apaise. Cette ancienne tuberculeuse a toujours peur d'être souffrante. Elle ne se déplace jamais sans une pleine valise de médicaments, fréquente assidûment les médecins et se lave les mains à tout propos. Cette phobie, que les années ne font que souligner et qu'elle transmet à Salvador Dalí, s'accompagne d'une peur tout aussi grande de manquer. Avec l'âge, elle devient rapace. Femme d'argent, au regard dur et au sourire rare, enfermée dans son rôle ingrat d'épouse gardienne du trésor, elle se taille une réputation de femme sans cœur et n'entreprend rien pour améliorer cette image. Il y a en elle un refus de séduire et la plus violente des arrogances.

TELLE QU'EN ELLE-MÊME, SUR LES TABLEAUX DE DALÍ

Depuis plus de dix ans, Dalí ne cesse de peindre Gala. Mais si chacune de ses déclarations est toujours à la louange de sa muse, dans ses peintures il ne l'embellit pas. Il la représente à travers ses fantasmes, mais fidèle de corps et d'expression, avec un réalisme décapant. Bien que son corps soit superbe et présente les proportions idéales d'une statue antique, Dalí souligne, avec une impitoyable précision, les traits trop forts de son visage, le menton volontaire, les yeux perçants et la bouche en colère. Pourtant, dès qu'elle apparaît sur une toile, Gala s'impose, formidable de présence et de vie. Deux traits essentiels la distinguent : le port de tête et le regard. Le premier est royal, orgueilleux, le second est insondablement noir, dur et froid. Dalí traduit fidèlement le

---

14. Louis Pauwels, *Dalí m'a dit*, *op. cit.*, p. 89.
15. George Melly, propos rapportés par Meryle Secrest, *Salvador Dalí*, *op. cit.*, p. 183.
16. *Ibid.*, p. 182.

magnétisme de sa nature, qui suggère l'énergie et la volonté, mais cette flamme est un phénomène étrange. Le feu de Gala est froid.

L'une des premières peintures qui la représentent se trouve aujourd'hui au musée de Saint-Petersburg, en Floride. C'est une toute petite huile sur bois (8,5 sur 6,5 cm) parmi la somptueuse collection d'Eleanor et Reynolds Morse. Elle est en short et chemisette, naturelle, et semble irradier. Malgré un visage bougon et pas du tout charmeur, elle fascine.

En 1932, le *Commencement automatique d'un portrait de Gala*, resté inachevé, montre sa tête fossilisée : d'une teinte de sable, elle semble sculptée et enfermée dans la pierre. Des rameaux d'olivier sont incrustés dans sa chevelure. Saisie de profil, avec une précision au scalpel, les cheveux dégagent un front anormalement bombé, l'œil est enfoncé dans la caverne d'une arcade sourcilière très accentuée, les pommettes sont saillantes, la joue est creuse, le nez droit, long et puissant, la bouche à peine une esquisse, couleur de terre brune. Quant au prognathisme de la mâchoire inférieure, il donne à cette tête de femme prise dans le rocher une expression d'ogresse.

En 1933, son *Portrait avec deux côtelettes d'agneau sur son épaule*, qui avait beaucoup intrigué les journalistes américains, la montre dans des couleurs d'or, s'offrant les yeux clos, l'amorce d'un sourire aux lèvres, au soleil de Cadaqués. Tandis qu'elle resplendit, le monde autour d'elle est en ruines, dévasté par un feu qui laisse encore son empreinte de braises. L'univers est exsangue face à cette créature solaire.

Dalí aura beau l'enlaidir, lui mettre un homard sur la tête et accrocher un avion au

Gala et Dalí.

bout de son long nez, comme dans le *Portrait au homard* de 1934, ou lui infliger la plus vilaine des casquettes à visière et une grimace de gargouille dans le tableau où elle s'amuse entre Lénine et Gorki (*Gala et l'Angélus de Millet précédant l'arrivée des anamorphoses coniques*, 1933), elle résiste à la caricature. Elle n'a pas peur de son image ; ainsi, dans *L'Angélus de Gala* (1935), visage blême et bouche pincée, et de dos, au premier plan, dans une silhouette empâtée, se reflète-t-elle sous une parodie de *L'Angélus* de Millet. Il arrive à Dalí de la grimer en dentellière de Vermeer, de la couvrir de brocart et de jouer avec elle au jeu des miroirs. Mais elle est la plupart du temps telle que dans la vie de tous les jours, sans faste. Avant qu'il ne la change en déesse, en madone puis en Christ – ces tableaux-là ne verront le jour qu'après la guerre –, elle lui inspire le désir de faire vrai, et de chercher toujours plus loin cette vérité qu'elle cache et qu'il aime explorer. Il confiera à Louis Pauwels : « Gala est un Sphinx, mais secourable, qui, au lieu de m'interroger, interroge pour moi les énigmes et détient dans sa chair les réponses[17]. » À travers sa femme, c'est lui-même que Dalí traque, sa propre vérité au-delà du mystère « ontologique » (encore un mot qu'il aime bien) de son épouse.

Il ne la transfigure pas. Ainsi le fond de *L'Angélus de Gala* est-il un espace vide. Ce que Dalí travaille, c'est seulement elle, son attitude, son relief, son expression, sa vibration. Et aussi sa couleur. Blanc-bleu quand elle ressemble le plus au marbre, comme dans *Rêve causé par le vol d'une abeille* (1944) où son corps splendide lévite au-dessus de l'océan, Vénus à la peau coquillage, elle est souvent teintée d'ocre – la couleur la plus fidèle à la nature mate de son teint. Pour elle, Dalí emploie le « jaune de Naples » qu'il patine jusqu'à l'or vif, en passant par les divers degrés de l'ocre et de la terre de Sienne. Gala est toujours « géologique », ainsi que le dit le maître : marbre ou fossile, terre séchée ou pépite d'or, elle a partie liée avec les éléments. Il y a en elle une force instinctive, brutale, qui fascine Dalí.

Cette force quasi animale est toute la sensualité de Gala. Même avec un sein dévoilé, comme dans la *Galarina* de 1944, elle évoque plus la puissance que le désir. Sur ce tableau d'une austérité monacale, on remarque, au-delà de ce sein libre, la vigueur de sa chevelure, la musculature effilée de son buste et les veines saillantes de ses mains aux doigts démesurés et aux ongles rouges, autrement dit sa vitalité. Est-elle belle enfin ? *Galarina* est son portrait le plus épuré et le plus vibrant. Aucun colifichet, hormis l'alliance en or et le gros bracelet d'argent offert jadis par Edward James, ne vient encombrer ce tableau sans concession, où son regard semble défier celui qui la peint. Gala est devant nous, telle qu'en elle-même, le visage parfaitement lisse, les bras, le sein, le cou nus. Les bras croisés et la bouche close, dans une attitude fermée au monde, hautaine, sûre d'elle mais se protégeant, elle exprime l'indifférence ou le dédain. Elle résiste même à l'artiste qui tentait de la déchiffrer : il y a en elle un noyau dur, secret, rebelle à toute intimité.

« Je suis aux pieds de Gala, dans un état de soumission et de spiritualité absolues[18] », avouera Dalí à Louis Pauwels. Tout en se prêtant à sa volonté, en se soumettant à ses caprices et en entrant dans tous les scénarios qu'il invente, surgissant à l'improviste ou étant elle-même le cœur du sujet, irréductible, le modèle domine l'artiste. « J'aime passionnément être dominé par Gala[19] », aime à rappeler Dalí.

« Gala est un Sphinx, mais secourable, qui, au lieu de m'interroger, interroge pour moi les énigmes et détient dans sa chair les réponses. »

---

17. *Dalí m'a dit, op. cit.*, p. 36.
18. *Ibid.*, p. 95.
19. *Ibid.*, p. 161.

Salvador Dalí,
*Portrait de Gala avec
deux côtelettes d'agneau
sur son épaule*, 1933,
huile sur bois, 6,8 × 8,8 cm,
Théâtre-Musée Dalí,
Figueras.

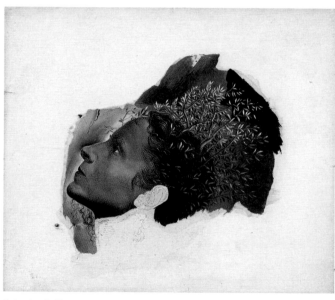

Salvador Dalí,
*Commencement
automatique d'un portrait
de Gala*, 1932, huile sur
panneau de bois
contreplaqué, 14 × 16,2 cm,
Théâtre-Musée Dalí,
Figueras.

Salvador Dalí, *Portrait
de Gala*, 1932-1933,
huile sur toile, The Salvador
Dalí Museum,
Saint-Petersburg, Floride.

182

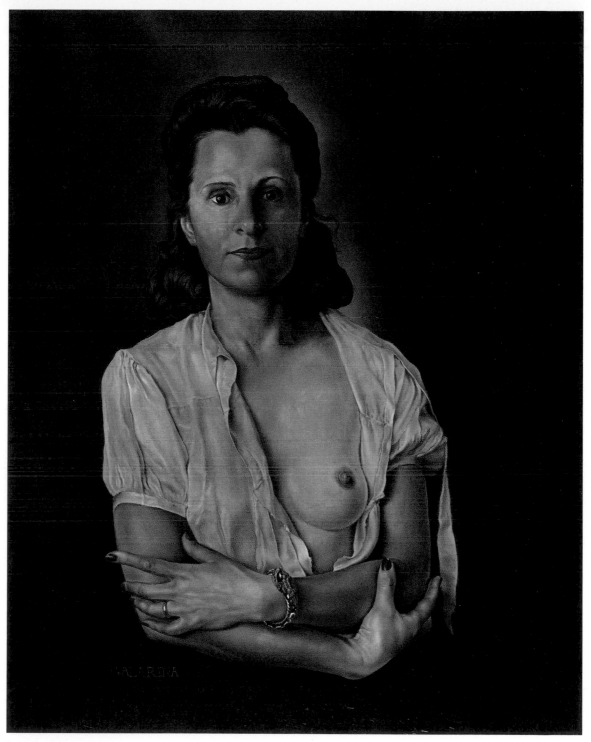

Salvador Dalí, *La Galarina*,
1945, huile sur toile,
64 × 50 cm, Théâtre-Musée
Dalí, Figueras.

FACES CACHÉES

Les couples ne résistent pas tous à l'épreuve de l'exil. Autour des Dalí, les ruptures sont nombreuses, de nouvelles alliances succèdent aux anciennes. Yves Tanguy et Man Ray changent de compagne. Jacqueline quitte André Breton. Elle s'en va vivre à Long Island avec David Hare, un peintre de la nouvelle génération américaine, le directeur de *VVV*. Elle emmène Aube avec elle. Breton écrit, dans un poème désabusé :

> *Une table servie du plus grand luxe*
> *Démesurément longue*
> *Me sépare de la femme de ma vie*[20].

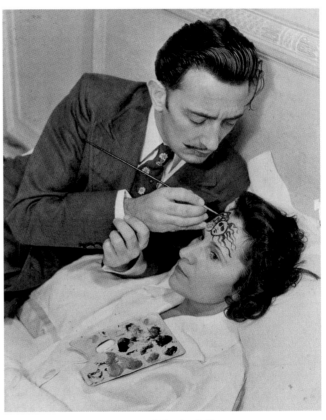

Salvador Dalí peignant la tête de Méduse sur le front de Gala, en 1945 au Canada.

Max Ernst a quitté Peggy Guggenheim. Il a éprouvé pour Dorothea Tanning, une jeune Américaine de l'Illinois, d'origine suédoise, un coup de foudre définitif. Dorothea Tanning est peintre et c'est dans la galerie de Peggy[21] qu'elle vient d'exposer ses toiles, inspirées de la nuit de ses rêves – *Jeux d'enfants, Hôtel du Pavot* ou *Birthday*. En 1943, ils s'installent dans l'Arizona, où Max Ernst construit un ranch de ses propres mains.

Tandis que les uns et les autres, ébranlés, cherchent un nouvel équilibre, les Dalí demeurent solidement amarrés l'un à l'autre, « moi pilotant la barque de notre vie, résumera Dalí, Gala tenant la barre[22] ». Les photographies de l'époque les moins officielles saisissent des gestes tendres, des regards amoureux. Dalí et Gala ne se quittent pas. Depuis leur départ de Paris, ils habitent l'hôtel. D'abord le Saint-Moritz, puis, quand ils sont riches, le San Régis, l'un des palaces de New York, où ils occupent une suite. De mai à octobre, fuyant la chaleur, ils s'installent en Californie, à Carmel. Ou bien ils retrouvent leurs habitudes chez Caresse Crosby, en Virginie. Ils ne dédaignent pas les invitations occasionnelles, mais ils savent privilégier leur intimité. Même chez leurs hôtes, les horaires et les rites de leur vie conjugale sont sacrés. Le succès croissant, les rendez-vous sont toujours plus nombreux. Gala règne sur l'intendance tandis que Dalí honore

---

20. André Breton, *Intérieur*.
21. Peggy Guggenheim le raconte dans *Ma vie et mes folies*, p. 229 et suivantes. Elle définit Dorothea comme « une jolie fille du Middle West, aussi prétentieuse que fatigante » !
22. *Dalí m'a dit, op. cit.*, p. 36.

ses premiers «groupies», des jeunes gens et des jeunes filles qui lui servent de modèles. Gala n'est pas mondaine : elle refuse souvent les invitations à dîner, laissant Dalí s'y rendre sans elle quand il en a envie ou quand sa présence est nécessaire. À New York, les Dalí ont des obligations.

Au milieu des jeunes et séduisants mannequins qui posent pour lui, souvent nus, il demeure fidèle ainsi qu'il le déclare au poète et journaliste Alain Bosquet, venu jouer avec lui au jeu de la vérité : « Quelle est la femme célèbre avec qui vous voudriez passer la nuit ? l'interroge le poète. — Aucune ! répond Dalí. Je suis cent pour cent fidèle à Gala[23]. » À Louis Pauwels, il est fier de dire qu'il n'a jamais connu d'autre femme : « Je jure que je n'ai jamais fait l'amour qu'avec Gala[24]. » Elle est « le seul être en qui j'aie envie de me fondre », précise-t-il. Il parle volontiers de ses jouissances, si faciles auprès d'elle, et des fantasmes qu'il n'a jamais eu le désir d'assouvir dans d'autres bras. « Avec et pour Gala, dit-il, je parviens au déchirement, à l'explosion, en quelques minutes, d'un élan naturel et doux[25]. » « Elle est l'unique femme en qui je m'écoule, dans un orgasme rapide et parfait, peuplé d'images architecturales d'une sublime beauté : des clochers, principalement[26]. » Sexuellement, il ne cache pas ses penchants : il se définit lui-même comme un voyeur. « Mon imagination délirante me suffit, explique-t-il. Et finalement, je n'ai besoin de rien ni de personne[27]. » S'il ne faisait autant, avec un évident goût de choquer, l'apologie de la masturbation, il passerait presque pour un chevalier de l'amour courtois. Il a érigé cette lubie en théorie et inventé le nom de « clédalisme ». C'est dans un roman qu'il vient d'écrire et qu'il a dédié à Gala, *Hidden Faces*[28] – *Visages cachés* –, que l'héroïne, Solange de Cléda, se voit enseigner par son amant, le comte de Grandsailles, les subtilités de son jeu érotique préféré : jouir sans toucher. Il préfère l'exaltation de ses propres fantasmes : « L'orgasme n'est qu'un prétexte, dit-il à Pauwels, l'essentiel est dans la jouissance des images[29]. » Gala ne perd pas, dans ce domaine, son exemplaire discrétion. Le roman, gage d'amour, lui est dédié avec emphase : « À Gala qui n'a cessé d'être à mes côtés pendant que je l'écrivais, qui a été la bonne fée de mon équilibre, qui a chassé les salamandres de mes doutes et renforcé les lions de mes certitudes. À Gala, qui par sa noblesse d'âme m'a inspiré et servi de miroir, reflétant les géométries les plus pures de l'esthétique de mes émotions, qui a guidé mon travail. » « Elle désaltère, elle désangoisse », dit-il, elle est la recette magique de sa propre existence.

23. *Entretiens avec Salvador Dalí*, Belfond, 1966, p. 92.
24. *Dalí m'a dit, op. cit.*, p. 45.
25. *Ibid.*, p. 46.
26. *Ibid.*, p. 103.
27. *Ibid.*, p. 108.
28. Paru aux États-Unis en juillet 1943, il ne sera publié en français qu'en 1973.
29. *Dalí m'a dit, op. cit.*, p. 46.

La sensualité de Gala, au contraire, s'exprime avec franchise, et même avec brutalité. Eluard le savait, qui considérait Gala comme « la perfection de la femme, la perfection de l'amour[30] ». En fait, très tôt, ainsi que quelques témoins l'affirment, elle cherche des compensations auprès d'autres hommes. Gala a toujours aimé des hommes plus jeunes qu'elle, mais cette tendance s'accentue avec l'âge. Dans les années 1940, tandis qu'elle approche de la cinquantaine, elle se montre gourmande de chair fraîche, avant de passer pour une nymphomane – une réputation tout à fait exagérée mais qui lui collera à la peau.

LA POÉSIE
PREND LE MAQUIS

Tandis qu'en Amérique Gala et Dalí prospèrent, Paul Eluard vit modestement à Paris, dans son ancien quartier. Il n'a pas déserté la capitale occupée et habite près de sa mère, un deux-pièces sinistre où la douceur de Nusch est la seule lumière. Plus de charbon, presque pas de pain et des tickets de rationnement, même pour les cigarettes…

L'ennemi présent à tous les coins de rue, il faut affronter non seulement la misère mais l'humiliation et bientôt la persécution. Longtemps, Eluard est demeuré dans un épais brouillard, à la suite du pacte germano-soviétique. Comme la plupart des communistes, le communiqué relayé par *L'Humanité* ne l'a pas convaincu : « Lénine, est-il écrit dans le numéro 57, nous a appris qu'il ne faut pas hésiter lorsque la situation le commande et lorsqu'il y va de l'intérêt du peuple, de s'allier occasionnellement – même au diable. » Pendant deux années, Eluard cherche une voie qui se dérobe. En 1941, il publie *Sur les pentes inférieures*, qui dit son accablement :

> *Rien que ténèbres en tête […]*
> *Le poison veuf de sa fleur*
> *Et de ses bêtes dorées*
> *Crache sa nuit sur les hommes[31].*

La même année, Gallimard publie un choix de ses poèmes où la censure a bien fait son travail puisque n'y figurent ni « Novembre 36 », ni « La Victoire de Guernica », ni « Oser et l'espoir », jugés trop hardis, coupables d'exprimer la révolte, l'amour des opprimés et la haine des oppresseurs. Expurgé, ce recueil comporte cependant ses *Poèmes pour*

---

30. *Lettres à Gala, op. cit.*, p. 63.
31. *Aussi bas que le silence, Œuvres complètes, op. cit.*, p. 1061.

Gala pose pour Dalí
chez Caresse Crosby
en 1941.

la paix qui retrouvent dans la tourmente une actualité tragique. Eluard est toujours profondément pacifiste. Mais les circonstances ont changé, la France est occupée, vaincue, et ce n'est plus la paix qu'il a envie de défendre, c'est la révolte qui gronde. Eluard s'est tu longtemps. Presque deux ans. Comme il s'est tu devant l'assassinat de Trotski, le 20 août 1940, alors que pèse sur cette mort l'ombre de Staline. Il ne reprend la parole que lorsque l'URSS entre en guerre contre l'Allemagne. Au printemps 1942, il s'inscrit au Parti communiste français, qui est toujours clandestin. Et il se remet à écrire. C'est un militant que la guerre va couronner. Le 3 avril 1942, aux éditions de la Main à Plume que dirige le courageux Noël Arnaud, paraît un recueil au titre clshaironnant, *Poésie et vérité 1942*, où l'on trouve ce poème, désormais fameux, « Liberté [32] ».

Dalí en train de dessiner, près de Gala, l'un des célèbres cyprès de Monterey, à Del Monte, en Californie.

Sur mes refuges détruits
Sur mes phares écroulés
Sur les murs de mon ennui
J'écris ton nom

Sur l'absence sans désir
Sur la solitude nue
Sur les marches de la mort
J'écris ton nom
[...]
Et par le pouvoir d'un mot
Je recommence ma vie
Je suis né pour te connaître
Pour te nommer

   Liberté.

Eluard l'avait d'abord intitulé «Une seule pensée» et écrit pour Nusch, quand « Liberté » se glissa sous sa plume... Publié à une centaine d'exemplaires à peine, le poème va être l'objet d'un étonnant bouche-à-oreille et se communiquer dans la nuit de l'Occupation comme le plus vibrant message d'espoir. Le poète et directeur de la revue *Fontaine*, Max-Pol Fouchet, le fait connaître aux correspondants alliés dès juin 1942, les micros de la France libre le renvoient en écho sur le continent. Un jeune poète, Louis Parrot, le lit à haute voix devant

---

32. *Œuvres complètes, op. cit.*, t. I, p. 1105.

les chefs de la Résistance en Auvergne, un autre devant un public enthousiaste à Marseille... Il sera réimprimé à des milliers d'exemplaires, en zone libre et à Alger. Traduit par Roland Penrose et E.L.T. Mesens, il sera même édité et récité outre-Manche. « Partout ce poème souleva l'enthousiasme et réveilla les énergies, explique Louis Parrot. C'était un message d'espoir qui nous venait de l'autre zone, un message semblable à celui que les prisonniers parvenaient parfois à nous transmettre de leurs cellules[33]. » En 1944, la Royal Air Force parachutera des milliers d'exemplaires sur les villages de France...

Pendant ce temps, Paul Eluard met ses forces au service de la Résistance. Fin 1942, il reprend contact avec Louis Aragon, réfugié en zone sud avec Elsa Triolet. Le poète du *Crève-cœur* a comme lui choisi le camp des indomptables. Oubliant leurs vieilles querelles, ils fondent ensemble le Comité national des écrivains, dont les réunions se tiendront à Paris à partir de février 1943. Parallèlement, Eluard crée l'Union des intellectuels, qui groupe les médecins, avocats, professeurs ou savants acquis à la Résistance. Il ne maniera jamais d'autres armes que les mots. Tout en essayant de regrouper les énergies parmi les intellectuels, il participe à l'effort de propagande de la Résistance en France et il rassemble en particulier les poèmes qui vont composer *L'Honneur des poètes* (Aragon, Desnos, Paulhan, Pierre Emmanuel, Loys Masson ou lui-même) et paraîtront aux Éditions de Minuit le 14 juillet 1943.

Eluard vit traqué. Il abandonne son domicile et change d'adresse aussi souvent qu'il peut avec Nusch, qui ne le quitte pas. Dès 1942, il doit signer de pseudonymes, Jean Du Haut ou Maurice Hervent, les textes qu'il écrit, comme les *Sept poèmes d'amour en guerre*, que publie Louis Aragon à la Bibliothèque française, maison d'édition clandestine qu'il vient tout juste de fonder. « Eluard, dira Jean Paulhan, a mené la guerre avec une extraordinaire ténacité et un grand courage. Lui si délicat, il lui arrivait de se trouver le soir épuisé de toutes les courses qu'il avait faites dans la journée, de tous les tracts qu'il avait fait imprimer, lus à ses camarades, distribués de tous côtés[34]. »

« Chanter, lutter, crier, se battre et se sauver[35] », écrira un jour le poète. Si la poésie a su « prendre un jour le maquis[36] », elle ne doit plus jamais faillir à sa tâche, qui est le combat quotidien pour la justice et pour la fraternité. Nusch, rompue à sa cause, le soutient de toutes ses forces. Il écrira pour elle, dans *En vertu de l'amour*[37] :

---

33. *L'Intelligence en guerre*, « Panorama de la pensée française dans la clandestinité », La Jeune Parque, 1945, p. 111.
34. Cité par Claude Roy dans ses *Poèmes choisis d'Eluard*, au Club du Meilleur Livre.
35. Dans *Raisons d'écrire* ; cf. *Œuvres complètes, op. cit.*, commentaire de Lucien Scheler, p. 1606.
36. *Ibid.*
37. *Le temps déborde*, dans *Œuvres complètes, op. cit.*, t. II, p. 108.

J'ai donné sa raison, sa forme, sa chaleur
Et son rôle immortel à celle qui m'éclaire.

LE GRAIN DE BEAUTÉ
ET LA LUMIÈRE

Pour Dalí, Gala est une créature magique. Il raconte[38] qu'avant la guerre, tandis qu'ils étaient ensemble dans l'atelier de Picasso, qui « était pour elle d'une gentillesse exceptionnelle », comme Gala se penchait pour regarder une toile, « Picasso lui saisit l'oreille entre le pouce et l'index et s'exclama : "Mais vous avez exactement le même grain de beauté que moi !" » Un même grain de beauté sur le lobe de l'oreille gauche. « Je touchai les deux oreilles, dit Dalí. Je sentis ce même relief. Immédiatement, j'éprouvai un tressaillement, je sus que je tenais la preuve glorieuse de la légitimité de mon amour. » Les Anciens, nourris de la science platonicienne des formes, voyaient dans certains nævi des points de repère de l'harmonie universelle. Selon Dalí, féru de traités ésotériques, le grain de beauté de Gala correspondrait à une intersection des lignes de la section dorée. Il serait le signe d'une personnalité rare, investie d'une « valeur sacrée ». Dalí, fétichiste, aimera palper comme un grigri, chaque fois qu'il se sent inquiet, ce nævus au pouvoir rassurant qui l'inspire, faisant aussitôt naître dans son cerveau des images harmonieuses.

Sa meilleure évocation, il la trouve dans la mythologie : voici Gala en Léda, la reine de Sparte, épouse de Tyndare, qui tomba amoureuse du dieu des dieux. Zeus, pour la séduire, se travestit en cygne et l'engrossa. Selon l'une des légendes, elle pondit deux œufs, d'où naquirent deux couples de jumeaux, Castor et Pollux, Hélène et Clytemnestre. Léda, c'est l'amante. Mais c'est surtout la mère des jumeaux de la mythologie. Dalí qui se définit toujours à travers son frère mort est obsédé par cette figure de Léda et de l'oeuf. En 1949, il peint *Leda atomica*. Gala y apparaît rayonnante et inaccessible, une déesse qui règne sur les éléments. Un soleil sans sourire, « atomique », implacable et souverain. Dalí appelle cette toile « la peinture clé de nos vies[39] ». Gala est sa déesse mère, une coquille d'œuf brisé gît à ses pieds. Un hommage à celle qui « l'a fait ».

Gala encourage son narcissisme. Il s'aime à travers elle. « J'y voyais, dit-il du grain de beauté, le point de clôture de ma personne et le point central de mon génie. » La sublimation est en marche ; elle va encore

---

38. À Louis Pauwels, *Dalí m'a dit, op. cit.*, qui relate l'anecdote du grain de beauté, p. 36 et suivantes.
39. Robert Descharnes, *Le Monde de Salvador Dalí*, Paris, Edita, 1984, p. 212.

monter d'un cran lorsque Dalí trouve dans la Renaissance italienne un nouvel élan : voici les deux *Madone de Port Lligat*. L'une est minuscule (49 × 36 cm), l'autre est la plus grande que l'artiste aura jamais tentée (90 × 150 cm). Gala y flotte entre mer, ciel et terre. Son corps est entiè-

Gala et Dalí, le 3 décembre 1951, devant le grand tableau de *La Madone de Port Lligat* peint par Dalí en 1950.

rement dissimulé sous de lourds drapés. Elle a les yeux baissés et les mains jointes, dans une attitude de prière. Sur son ventre, béant sur l'horizon, se tient l'Enfant, dont le ventre est lui aussi ouvert sur un avenir transparent. Des symboles terriens, aériens et marins entourent Gala, seuls vestiges du monde après son explosion. Un œuf suspendu à un fil d'araignée est placé au-dessus de sa tête. De part et d'autre de la toile, l'ombre des deux rochers planant sur les eaux renforce l'impression d'irréalité. La construction ainsi que les couleurs donnent un caractère solennel et plutôt artificiel à cette œuvre double. Gala se fige. Tout le tableau respire l'artifice et le pompeux. Mais Gala Madona marque un retour au classicisme, le désir de lier son univers à la cosmogonie de l'Église, autant que sa volonté de sanctifier Gala.

Tandis qu'il la fait rayonner en Vierge Renaissance, et trouve pour l'enchanter une inspiration dans l'œuvre de Michel-Ange et de Fra Angelico, New York, devenu capitale de tous les arts, encense de nouvelles idoles : les peintres et les sculpteurs abstraits. Alexandre Calder, Jackson Pollock et cette nouvelle « école » américaine que Robert Coates, le grand critique du *New Yorker*, vient de bapti-ser « expressionnisme abstrait » sont les plus éclatants représentants d'une avant-garde à contre-courant de laquelle Salvador Dalí fait figure de solitaire. Il honnit l'art abstrait. « J'annonce la vie, j'annonce un futur style, proclame-t-il. Il est temps d'intégrer au lieu de désintégrer, et de construire… Fini de nier ! Il faut affirmer… Le style remplacera l'automatisme, la technique le nihilisme, la foi le scepticisme, la rigueur l'abandon, l'individualisme et la hiérarchie le collectivisme et l'uniforme, la tradition l'expérimentation. Après la Réaction et la Révolution, la Renaissance [40]. »

Associée à cet idéal, Gala accompagne le Dalí nouveau qui s'apprête à revenir vers le vieux continent, riche, célèbre et maître de ses théories.

---

40. *La Vie secrète de Salvador Dalí, op. cit.*, p. 305.

À son retour, Dalí offrira à Pie XII, lors de l'audience que le pape accordera au couple, le 23 novembre 1949, la plus petite des deux *Madone de Port Lligat*. Durant cet entretien, il demandera à Pie XII l'autorisation d'épouser Gala devant l'Église, mais sa requête n'aboutira pas. Gala a beau être la compagne d'un artiste très catholique et elle-même très croyante, une divorcée ne se remarie pas. «Chevalier de la tradition», ainsi que Salvador Dalí se désigne alors face aux écoles de peinture abstraite, il reçoit le refus papal comme un véritable camouflet. La non-bénédiction de l'Église laisse inachevée l'élaboration du mythe fondamental et divin de Gala. Il conclut ainsi le livre de sa vie secrète: «Le Ciel ne se trouve ni en haut ni en bas, ni à droite ni à gauche, le Ciel est exactement au centre de la poitrine de l'homme qui a la Foi[41].»

RETOUR
AUX TRISTES RÉALITÉS

L'événement tant attendu finit un jour par arriver: le 6 juin 1944, commandées par le général Eisenhower, les troupes alliées débarquent en Normandie. En août, Paris est libéré. En janvier 1945, tout le territoire est enfin rendu aux Français. Dès juillet 1944, l'épuration s'est mise elle aussi en route. L'heure est aux règlements de comptes. À une vague d'exécutions sommaires pour faits avérés ou présumés de collaboration – de trente mille à cent mille, selon les estimations – succèdent les procès devant des cours de justice créées pour l'occasion. Du 1er au 31 décembre 1945, après plus de sept mille condamnations à mort, environ quatre mille personnes seront exécutées. Dans *Charniers*[42], Eluard dit son amertume:

> *L'aube est sortie d'un coupe-gorge*
> *L'aube noircit sur des décombres*
> *Se fond parmi des ombres molles*
> *Parmi d'abjectes nourritures*
> *Parmi de répugnants secrets*
> *Où sont les rires et les rêves…*

Le 18 mars 1945, Gala et Paul reprennent une correspondance interrompue depuis le 7 octobre 1940. «Notre joie est grande d'avoir enfin ton adresse[43]!» Paul informe son ancienne épouse de la situation en France: «La vie est très difficile ici. Beaucoup de gens tombent

---

41. *Ibid.*, p. 308.
42. *Au rendez-vous allemand*, dans *Œuvres complètes, op. cit.*, t. I, p. 1270.
43. *Lettres à Gala, op. cit.*, p. 305.

En haut :
Gala et Dalí en 1945.

En bas :
Joan Crawford, Salvador
Dalí et Phillip Terry,
Del Monte, 1945.

Elsa Maxwell, Bill Veeck
et Salvador Dalí, 1949.

malades… Je n'ai pas de feu… Il fait exceptionnellement froid. » Il lui conseille de ne pas rentrer aussitôt. « La vie est très dure. Et triste. » Le ton de la lettre est las, terriblement las. Il vient d'achever les poèmes d'*Au rendez-vous allemand*, qu'il envoie à Gala en témoignage de tout ce qu'ils ont pu éviter dans leur exil : le spectacle à la fois effrayant et honteux des temps de guerre et surtout d'Occupation. « Voir clair ne sonne que ténèbres », y est-il écrit. Des vers terribles y crient vengeance :

> *Il n'y a pas de ciel plus éclatant*
> *Que celui où les traîtres succombent.*

> *Il n'y a pas de salut sur terre*
> *Tant que l'on peut pardonner aux bourreaux*[44].

Le passé, Eluard le résume sans trop donner de détails, dans sa première lettre : « L'horreur a été presque toujours présente à nos yeux. Nous avons espéré, désespéré, ragé, lutté comme nous avons pu, et vieilli. Je ne sais plus très bien rire. » Il lui dit qu'avec Nusch il a échappé à la Gestapo et qu'ils ont dû vivre cachés. Cinq ans de vie en quelques phrases. « Je me fais l'effet d'un vieux bonhomme maintenant. » Près de lui, Nusch se ressent elle aussi de tout ce passé de sacrifices. « Nusch va faire teindre ses cheveux blancs. » L'après-guerre est encore rude, les rationnements préoccupent tous les Parisiens, « la lutte pour la survie est féroce ». Dès qu'elle est informée de la pénurie dont souffrent Paul, son épouse et sa fille, Gala envoie de New York des colis qui contiennent des trésors : du lait concentré, des vitamines, du café, de l'huile, des pull-overs de laine. Elle s'inquiète aussi de la santé des amis perdus : « Pour Aragon et Picasso, répond Eluard, ils ont ce qu'il leur faut. Nous aussi d'ailleurs, ça va bien. »

Paul possède la clé de l'appartement des Dalí, rue de l'Université, Gala la lui a laissée en partant. Craignant une réquisition, il organise le transport des tableaux et des meubles et s'occupe de trouver des locataires « convenables ». Il veille sur le patrimoine de Gala comme s'il était le sien. Il s'occupe aussi de régler les impôts, les taxes, dont il lui envoie le montant en espérant un remboursement. Sait-il que Gala et Dalí sont riches, immensément riches ? Gala lui envoie des photographies des tableaux de Dalí qu'il n'a encore jamais vus, et notamment celui où son sein est nu, *Galarina* : « Tu es toujours aussi jeune et aussi belle […]. Galarina est la plus brillante des Stars[45]. » Pour lui, Gala n'a pas changé. Ni n'ont changé ses sentiments à son égard : « Tout a changé, sauf mon cœur, lui écrit-il. Et tout le passé est très loin, sauf toi, car toi, tu seras toujours présente en moi. Petite Gala… », il l'embrasse « comme

---

44. *Les Vendeurs d'indulgence*, dans *Œuvres complètes, op. cit.*, t. I, p. 1274.
45. *Lettres à Gala, op. cit.*, p. 313 et 314.

toujours » et ajoute : « ma Gala de Clavadel, mon éternelle petite fille ». Il lui envoie son dernier livre, *Poésie ininterrompue*, en lui demandant de lui écrire ce qu'elle en pense, parce qu'elle est toujours son « meilleur lecteur ». Il la prie de lui faire parvenir d'une part les catalogues des expositions de Dalí – il est toujours féru d'art –, d'autre part des livres qu'il ne peut se procurer en France et qu'elle lui enverra. Les livres restent, jusqu'à la fin, leur plus grande complicité.

Si Paul Eluard a perdu le fil des cotations et des modes artistiques, qui se sont déplacées outre-Atlantique, Gala a, elle, perdu de vue la poésie en France. Elle ne sait rien de la Résistance. Et rien des nouveaux poètes que la guerre a fait naître. Rien non plus de l'Eluard, chantre de la liberté, qui est devenu lui aussi très célèbre. L'on vient de toute l'Europe pour le voir, l'interroger, l'entendre. Il est tellement plébiscité qu'il ne peut répondre à tous et doit protéger avec Nusch le peu d'intimité qui lui reste. Très actif malgré sa fatigue, collaborant à de nombreux journaux et revues, donnant des conférences jusqu'en Grèce ou en Yougoslavie, en passant par l'Italie et la Tchécoslovaquie, il est partout reçu avec enthousiasme, et continue à écrire. « Je suis maintenant très honorablement payé pour mes "écritures". » Il continue de mener rue Max-Dormoy, dans son deux-pièces, une vie modeste.

En dehors de sa vie publique, qui rend nécessaires sorties et voyages, il soigne sa vie de famille – en particulier Nusch, mais aussi Cécile. Divorcée de Luc Decaunes et remariée au peintre Gérard Vulliamy, elle éprouve cruellement l'absence de sa mère. Eluard ne fait à Gala aucun reproche ; mais il lui rappelle combien elle manque à la jeune femme. « Elle t'aime nostalgiquement », écrit-il. Elle a eu « une jeunesse privée de ce qu'on aime ». « Elle a été bien seule pendant de longues années. » Ce n'est que beaucoup plus tard, en 1948 – Cécile a alors trente ans –, qu'il ose être plus explicite : « Elle a l'idée que tu ne l'aimes plus et qu'elle ne te reverra pas. Elle, qui est assez dure pourtant, pleure chaque fois qu'elle parle de toi [46]. » Mais Eluard protège toujours Gala : « Encore une fois, ma petite Gala de toujours, ne t'en tourmente pas. Tu peux arranger cela en lui écrivant gentiment et en lui envoyant des paquets qui lui prouvent que tu penses à elle… » Léda sera moins encore une grand-mère. Quand Cécile est enceinte, elle lui envoie seulement, en prévision de la naissance, de la layette *bleue* – elle n'a jamais caché sa déception d'avoir eu une fille. Elle ne viendra ni assister à l'accouchement, ni même voir le bébé – une fille, naturellement.

L'immédiat après-guerre apporte son lot de malheurs. En 1945, un télégramme de sa sœur Lidia apprend à Gala que leur mère est morte. La dernière et brève visite de Gala en Russie remonte au printemps 1927. Les troupes soviétiques ont « libéré » les pays de l'Est. Les Dalí,

« Eluard envoie à Gala son dernier livre, *Poésie ininterrompue,* en lui demandant de lui écrire ce qu'elle en pense, parce qu'elle est toujours son "meilleur lecteur" ».

---

46. *Ibid.*, p. 324.

circonspects et méfiants, attendent que la paix soit clairement définie et la prospérité revenue en Europe avant de rentrer. Les origines de Gala ne font pas d'elle une militante prosoviétique, au contraire. Elle est farouchement proaméricaine et hostile à l'URSS, à sa politique comme à sa philosophie. L'un et l'autre savent que dans ce domaine tout les sépare. À peine Paul pense-t-il à s'inquiéter des déclarations outran- cières de Dalí, qui s'annonce haut et clair désormais fidèle au général Franco. André Breton, rentré en France dès 1945, répand sur son compte, dit Eluard, des « calomnies » : « Je les enraye comme je peux, écrit-il à Gala, mais je voudrais surtout pouvoir démentir formelle- ment le bruit que Salvador Dalí a fait le por- trait de l'ambassadeur de Franco. Je veux fermer la gueule à pas mal de salauds [47]. » Peine perdue : Eluard finira par le comprendre, ils sont du camp de la monarchie et de la réaction contre les forces d'une gauche marxiste. « Pour moi, lui écrit Paul, je suis absolument au ser-

Gala et Dalí sur le *Vulcania* en 1948.

vice de mon parti qui ne m'impose rien de déplaisant. Au contraire. J'en approuve entièrement la politique. » La lettre est du 6 août 1946.

Cette année-là, la mort frappe à nouveau. De la manière la plus inattendue et la plus tragique. Paul Eluard est à Montana, dans un de ces sanatoriums suisses dont il reste familier, quand la nouvelle lui par- vient. Nusch, la douce et tendre, n'est plus. Elle est morte subitement, le 28 novembre, foudroyée par une hémorragie cérébrale, alors qu'elle se tenait au chevet de Mme Grindel, malade, dans sa chambre de la rue Ordener. Paul, *En vertu de l'amour* [48] :

> *Voici le jour*
> *En trop : le temps déborde.*
> *Mon amour si léger prend le poids d'un supplice.*

Ils ne vieilliront pas ensemble. Terrassé, tandis qu'il confiait à Gala, trois jours plus tôt, un bonheur enfin retrouvé, Paul Eluard plonge dans un désespoir qui va durer de longs mois. Cécile, en mars 1947, écrira à Gala que son père « ne se console pas de la mort de Nusch » : « Je ne sais quoi faire pour l'aider... Que puis-je moi pour l'égayer ?... » Trois jours avant la mort de Nusch, Eluard a déchiré toutes les lettres que Gala lui a écrites depuis leur première rencontre : « J'espère que tu penses comme moi (j'en suis même sûr) pour que nous évitions de laisser après nous

47. *Ibid.*, p. 309.
48. *Poésie ininterrompue*, dans *Œuvres complètes, op. cit.*, t. I, p. 108.

des traces de notre vie intime. Ainsi je déchire tes lettres[49]. » Gala, qui est des deux la moins nostalgique, se gardera de suivre son exemple. « La mort, le sentiment de la mort a pris en moi une trop grande place[50] », lui avoue Paul. « Ma Gala, pardonne-moi ce ton. J'ai reçu un trop grand coup. Ma vie est vide. » Et ces mots à la fin d'une autre lettre : « La tombe de Nusch est tout ce qui me reste d'elle. » La voix d'Eluard est comme exténuée. Un couple de jeunes amis, Jacqueline et Alain Trutat, veille sur lui. Sans leur aide, dit-il à Gala, « je ne serais certainement plus en vie ». Mais c'est sur des mots d'amour que s'achève leur correspondance : « Galotchka dorogaïa ». Le 21 février 1948 est la date de son ultime message. Il donne à son « petit Galotchkou » des nouvelles de leur fille, de leur petite-fille et, pour ne surtout pas l'inquiéter, estompe la couleur de son désespoir. Avant de signer « À t.p.t. », il lui écrit son dernier vœu : « Petite Galotchka, que je voudrais te revoir ! »

Or, Galotchka prépare ses valises. Avec Dalí, elle s'apprête à quitter enfin l'Amérique. Le 21 juillet 1948, elle débarque d'un paquebot au Havre. C'est Alice au pays des merveilles, comme l'appelle Dalí : elle a dans les cheveux, à cinquante-quatre ans, un grand nœud de velours noir qui lui donne l'air d'une petite fille. Elle s'installe au volant d'une Cadillac si grande et si profonde que ses yeux passent à peine le bas du pare-brise. Dalí à son côté – affolé et nerveux, il tortille ses moustaches et menace de sa canne à pommeau d'or des fantômes –, elle ne se dirige pas vers Paris. Après huit ans d'absence, elle ne prend pas le temps d'aller voir Paul Eluard, ni leur fille. Elle va droit au sud, vers Port Lligat.

Ferdinand Springer, Marcelle Springer, Gala et Dalí sur le paquebot qui les ramène au Havre après leur exil à New York.

49. *Lettres à Gala*, *op. cit.*, p. 316.
50. *Ibid.*, p. 320.

LES DERNIERS FEUX

LA MAISON
AUX ŒUFS SUR LE TOIT

À Cadaqués, où jusqu'alors seul le médecin possédait une modeste voiture, l'arrivée de la Cadillac noire des Dalí, avec ses chromes rutilants, est un événement. C'est l'enfant du pays qui revient chez lui. Son père, sa sœur vivent encore au village où rien n'a changé depuis son enfance. Mais il est brouillé avec eux et c'est avec Gala, seul à seule, qu'il va retrouver son port d'attache, ce paysage des premiers matins du monde qui est leur territoire et leur véritable patrie.

La *casa* Dalí, loin du confort des palaces américains, restera une maison de pêcheurs, même s'ils vont ensemble l'agrandir et l'embellir. « Notre maison a poussé exactement comme une véritable structure biologique, dira Dalí à Louis Pauwels, par bourgeonnements cellulaires[1]. » Vue du dehors, c'est une forteresse. Dedans, un labyrinthe. Une succession de pièces sur plusieurs niveaux, reliées par un réseau d'escaliers et de corridors. Dans l'entrée, un ours du Canada empaillé, cadeau d'Edward James, a un peu jauni et sert de porte-cannes. Viennent deux salons blancs, à peu près vides. Le réfectoire se résume à une table de chêne, d'une simplicité monacale. L'impression de s'enfoncer dans un antre, et voici l'incroyable salon que Dalí a baptisé « l'œuf de Gala » : une grande pièce ovale, bordée de banquettes et ornée d'une cheminée colossale, ronde et blanche avec une de ces glaces dites « sorcières ». Le décor en est à la fois fœtal et kitsch. Cette pièce, Gala y vient seule, lire, rêver, coudre, écrire des lettres… Tout en haut du labyrinthe, dominant un salon que meublent deux énormes grains de blé et une coquille d'escargot, la chambre des Dalí est suspendue et contemple la mer par l'intermédiaire d'un jeu de miroirs. Deux lits à baldaquin, deux lits jumeaux énormes, sont surplombés d'un dais de soie, comme à Versailles. On dirait que Dalí, seul architecte de sa *casa*, a voulu créer une chambre XVIIIe pour les jumeaux de la mythologie. Dans un des recoins du labyrinthe se

En haut :
Dalí dans l'entrée de
la maison de Port Lligat.

En bas :
La maison de Port Lligat.

p. 198
Gala et Dalí dans leur
maison de Cadaquès.

---

1. *Dalí m'a dit*, op. cit., p. 20.

Gala et Dalí sur les
rochers de Cala Cullero,
avec les costumes
surréalistes réalisés
par Christian Dior pour
un bal donné par Carlo
de Beistegui à Venise,
1960.

Gala et Dalí dans
la Salle ovale, 1962.

Dalí dans son atelier.

« Notre maison a poussé exactement comme une véritable structure biologique, dira Dalí à Louis Pauwels, par bourgeonnements cellulaires. »

Gala et Dalí
à Port Lligat, 1957.

niche l'atelier, intégré à la vie de la maison. Fait non pas d'un seul morceau, mais d'une juxtaposition de pièces aux dimensions inégales, il contient tout un bric-à-brac d'objets, photographies, livres, gravures, cornes de rhinocéros, coquillages, branches séchées et costumes de théâtre. Il y a des microscopes, des appareils étranges qui servent à mesurer le temps ou l'espace et des burettes d'alchimiste.

À Port Lligat, les Dalí vivent isolés du reste du monde, avec deux serviteurs. Arturo, un jeune pêcheur, qu'ils ont engagé dès l'été 1948, sera leur maître d'hôtel, jardinier et chauffeur, leur homme à tout faire pendant près de quarante ans. Et Paquita, la cuisinière, grande spécialiste de la langouste au chocolat – l'un des plats de prédilection de Salvador Dalí, qu'il inflige à chaque nouveau visiteur. Jusqu'à la fin des années 1950, les Dalí ne reçoivent que de loin en loin des hôtes de marque, clients potentiels, venus voir le maître. Ils les accueillent pour le déjeuner, parfois pour dîner. Mais pas de chambre d'amis, les invités couchent à l'hôtel. En dehors des heures consenties aux mondanités, la solitude du couple reste sacrée. Pour recevoir ses hôtes, Dalí a conçu le patio. Entouré d'une galerie circulaire, il est abrité du vent et des regards indiscrets par des murs en pierres sèches. Il marque clairement un palier entre le monde extérieur et le monde intime. On y accède par une longue allée de dalles blanchies à la chaux que Dalí a surnommée « la Voie lactée ». Sur les terrasses qui le surplombent, Gala a planté des buissons de lavande, des œillets et des lys. Mais toute la Voie lactée, elle l'a bordée de grenadiers. Ces fruits charnus sont ceux d'Hélène, dans la légende de la pomme d'or.

Les beaux étés des années 1960 voient les touristes débarquer en foule à Port Lligat. Certains n'hésitent pas à venir frapper à la porte de la forteresse, dans l'espoir d'y rencontrer le maître. Ils sont reçus par Arturo ou Paquita qui, pour les faire patienter, leur offrent du champagne (rosé et espagnol) ou du whisky. Dalí a fait ériger, au fond du patio, un trône sous un dais de toile blanche, où se tiennent les audiences ! « Attitude réglementaire dans l'attente du Maître, écrit Henri-François Rey, qui aime beaucoup Dalí et s'amuse de tous ses gags : la voix baissée d'un ton, le geste modéré… Très dentiste, l'atmosphère[2]. »

---

2. Henri-François Rey, *Dalí dans son labyrinthe*, Grasset, 1974, p. 27.

Dalí s'annonce de loin : tout en sifflotant, il martèle les dalles de sa canne. Le Roi-Soleil est ultratimide, sa canne serait « l'arme défensive et offensive » avec laquelle il préserve son monde onirique « contre tous ceux qui voudraient le pénétrer par effraction ». Il lance un « Bonjourrrr ! » sonore à la cantonade, puis converse avec ses visiteurs ou se livre à d'époustouflants monologues. Gala est presque toujours invisible. Lorsqu'elle surgit, inopiné-

ment, c'est plutôt vers la fin de la séance, tandis que tombe la nuit. Elle ne dit bonjour que du bout des lèvres, esquisse un sourire de circonstance et disparaît comme elle est venue, brutalement, souvent sans dire au revoir. Elle est aussi arrogante et sèche avec les étrangers que Dalí est gentil et poli. Elle ne les reçoit pas, elle les tolère. Parce qu'ils distraient Dalí, qu'ils sont nécessaires à son culte, elle l'a laissé instituer ce rite. Si Dalí n'a pas envie de voir les gens, alors Paquita descend leur dire que le maître ne se présentera pas. Tel est son bon plaisir.

Sur la barque *Gala*, 1957.

« N'importe qui est là, raconte Henri-François Rey, le curieux, l'étranger, le hippy, la jolie fille, le journaliste s'apprêtant à faire la même éternelle interview… J'ai rencontré là quelquefois ce que l'humanité compte de plus cocasse ou de plus ridicule… Parmi les clients du patio, personne n'est normal. Tout le monde est déjà plus ou moins dalínien. » Gala ne se mobilise que pour les hôtes de marque. Mais, de plus en plus, les amis relèvent sa dureté.

Elle rêve d'escapades. Elle dit qu'elle n'aime pas la Catalogne. Elle adore Port Lligat, pourtant, sa maison, la mer, les promenades sur les rochers de Creus, et puis la barque jaune qui porte son nom et l'emmène au large avec des amis pêcheurs – les seuls Catalans qui, avec Dalí, trouvent grâce à ses yeux. Elle ne cesse de répéter que le seul pays qu'elle aime, c'est l'Italie. Dalí, qui vit dans les légendes, l'appelle sa Béatrice, mais pour l'Italie, il n'a qu'une curiosité artistique. Selon Henri-François Rey, il est « ombiliquement attaché à sa terre ». Pour lui, Cadaqués, c'est la caverne, la grotte, l'antre, le territoire comme l'est pour l'animal le terrier [3]. » Gala au contraire cherche à fuir. Seule ou conduite par Arturo, elle emprunte la Cadillac et se perd sur les routes, quelque part entre

---

3. *Ibid.*, p. 84.

Milan, Florence et Ostie. De l'hôtel, elle téléphone à Dalí tous les jours. Il ne se montre pas jaloux. Déboussolé et en même temps joyeux comme un enfant libéré de sa tutelle, Salvador Dalí profite à sa manière de ces vacances improvisées. À Port Lligat, il s'accorde du bon temps, recevant plus souvent des amis, parmi les plus extravagants et les moins convenables, sans encourir les reproches ou l'air pincé de Gala… Pourtant il la retrouve avec soulagement. Elle est l'ordre sans lequel sa vie se déracine : « J'astique Gala pour la faire briller, déclare-t-il à cette époque, la rendant la plus heureuse possible, la soignant mieux encore que moi-même, car sans elle tout serait fini[4]. »

Sur le toit de la *casa* Dalí : deux œufs géants, en plâtre d'un blanc immaculé. On les aperçoit de loin, tels les repères d'un phare. Tout en bas, sur la mer, nagent deux cygnes blancs. La nuit, quand les lumières s'allument par un ingénieux système de coupoles en verre, elles font briller les œufs de Léda.

« J'astique Gala pour la faire briller, la rendant la plus heureuse possible, la soignant mieux encore que moi-même, car sans elle tout serait fini. »
Dalí

LES GÉANTS DU BAL

Gala ne se déplace plus sans deux valises, qui la suivent partout. L'une contient des chèques de voyage et des espèces, de préférence des dollars. L'autre des médicaments. Elle vit dans la hantise de la pauvreté et de la maladie, l'une et l'autre lui semblant indissociablement liées. D'année en année, comme une image de sa double phobie, les deux valises augmentent de volume.

De retour dans la vieille Europe, mais gardant des liens étroits avec l'Amérique, l'entreprise Dalí dépasse largement le monde de la peinture. Elle est devenue une véritable affaire industrielle qui implique, selon *Life*, « le travail de centaines de gens ». Dalí gagne beaucoup d'argent avec des inventions plus ou moins réussies ou cocasses. Si ses toiles ont atteint des prix exorbitants – Paul Ricard paiera deux cent quatre-vingt mille dollars dans les années 1970 pour *La Pêche aux thons* –, il peut compter sur les revenus annexes que lui procurent la presse et la publicité. La moindre de ses apparitions sur petit écran ou sur papier glacé se monnaie à prix d'or. En 1970, le chocolat Lanvin réglera dix mille dollars pour les quinze secondes de sa prestation télévisuelle : « Je suis fou… fou… des chocolats Lanvin. » Dalí exploite le filon. Il illustre des éditions de *La Divine Comédie*, de *Don Quichotte*, d'*Alice au pays des merveilles* ou de la Bible qui seront commercialisées à des prix fous. Il dessine aussi des bijoux, inspirés de ses fétiches préférés, que le joaillier américain Carlos Alemany sertira de pierres précieuses : la mouche,

---

4. Propos recueillis par Max Gérard, *Dalí de Draeger*, Le Soleil Noir, chap. « Gala ».

l'araignée, le sceptre, le serpent et aussi le « cœur de Gala ». Fait de soixante rubis encastrés dans de l'or, surmonté d'une couronne de diamants, il bat, grâce à un minuscule mécanisme, au rythme de soixante-douze pulsations à la minute. Dalí vient de trouver un nouveau surnom pour Gala : il l'appelle *Moe Zoloto*, « Mon or » en russe.

Mais l'artiste doit œuvrer sans répit pour honorer tous ces contrats. Aussi, dans l'ensemble, la créativité de Dalí se ressent-elle de quelque rabâchage. Gala confie à sa sœur Lidia, qui l'accompagnait dans un de ses voyages en Italie, que sa tâche serait achevée le jour où l'on pourrait acheter « du Dalí » chez Woolworth… Elle entasse, elle thésaurise. Dans les années 1950, torturée par la pensée que tout peut brutalement disparaître, elle devient avare et méfiante : « Si Dalí meurt, je me trouverai à la rue, sans même une toile à vendre pour vivre. » Son angoisse se double cependant d'un goût pervers pour les jeux de hasard. Elle perd des fortunes à la roulette ou au black-jack.

Ne pouvant plus faire face seule à l'extraordinaire développement d'une affaire qui vaudra, en 1970, dix millions de dollars, elle fait appel à des « secrétaires », qui travaillent sous sa coupe. Le premier en date, John Peter Moore, un Britannique d'allure distinguée que le couple a rencontré en Italie, a un passé romanesque : après avoir servi dans l'armée, il a travaillé dans le cinéma avec Alexandre Korda. Dalí l'appelle « le Capitaine » et le présente avec humour comme son « attaché militaire ». Peter Moore sera l'homme clé des Dalí de 1962 à 1972. Seconde et capitale influence, celle de Robert Descharnes. Ce photographe a rencontré les Dalí en 1952 sur le paquebot qui les emmenait en Amérique et ne les quitte plus. Il prendra d'innombrables et précieux clichés du couple, tout en gérant leurs affaires. Il réalisera même, en 1954, un film avec Dalí, *La Dentellière et le Rhinocéros*.

Autour du couple évoluent dès les années 1960 un certain nombre de fidèles, qui suivent ses déplacements. Il y a là, parmi la suite, Nanita Kalachnikov, une Espagnole au nom russe et à la chevelure flamboyante que Dalí a baptisée « Louis XIV ». Ou Mafalda Davis, une Égyptienne au nom américain, ancienne dame de compagnie de la reine Fawzia, l'épouse du roi Farouk. Mais il y a aussi, figures indissociables des années de gloire, des êtres jeunes, beaux, longilignes, androgynes, que Dalí recrute dans des agences ou dans les boîtes de nuit. Chez Maxim's, Gala et Dalí ne dînent plus jamais seuls : à leur table, ils sont six ou huit ou davantage, autour d'eux. Souvent, ils ne les connaissent même pas et ils disparaissent après le dîner, tels des fantômes. Certains d'entre eux finissent pourtant par s'installer. Ainsi les amies d'Andy Warhol – le peintre est dalínien de cœur –, deux sompteuses créatures dont le glamour ne passe pas inaperçu : Ultra Violet (en vérité une Française, Isabelle Dufresne) et Candy Darling. Parmi l'aréopage, il faut aussi compter les jumeaux, deux frères d'une étonnante blondeur et d'une étonnante ressemblance, John et Dennis Miles, que Dalí appelle « les

« Gala confie à sa sœur Lidia que sa tâche serait achevée le jour où l'on pourrait acheter "du Dalí" chez Woolworth. »

Gala, Dalí et Arturo,
1960.

Dioscures », du nom mythique de Castor et Pollux.

Amateur de bizarre, Dalí invite volontiers à sa table quelques spécimens, qui font ressortir la pâle perfection des mannequins et contribuent à l'exotisme général de sa troupe : des nains, des bossus, des albinos… Gala, elle, a peur d'attraper des microbes ! Aussi leur interdit-elle d'entrer dans sa chambre et barricade-t-elle sa maison. À New York ou à Paris, soucieuse de ne pas entraver le folklore de la vedette, elle s'assied à la même table qu'eux, toujours à la droite de Dalí, prenant soin de placer à côté d'elle le mannequin vedette, le chanteur de rock ou de pop music, l'adepte du Living Theatre qu'il aura ramassé on ne sait où.

Les rites de vie des Dalí sont immuables. Du printemps à l'automne, ils sont à Port Lligat. L'été est la période la plus privée du couple, qui s'y garde des mondanités ; c'est aussi l'époque de la grande créativité dalínienne, sur laquelle veille farouchement Gala. L'automne les ramène à Paris, dans la « suite royale » de l'hôtel Meurice : le roi d'Espagne, Alphonse XIII, l'occupa pendant son long exil. Ils seront pour Noël à New York, où ils demeureront jusqu'au mois de mars. À l'hôtel, les Dalí sont chez eux. Dalí y dessine, laissant mûrir en lui, au cours des mois d'hiver, les œuvres qu'il mettra au point dans son atelier, l'été suivant. Henri-François Rey explique que Dalí veut « abolir le hasard, dans la vie quotidienne », et régler le temps. « Dalí vit comme une horloge », résume-t-il. Exceptionnellement, le couple s'autorise une escapade. Ainsi, en septembre 1951, se rendent-ils à Venise sur l'invitation de Carlo de Beistegui, un richissime Espagnol dont la fortune repose sur l'exploitation de mines au Mexique. Dans le hall du palais Labia, éclairé par des flambeaux, une fresque de Tiepolo, *Le Festin de Cléopâtre*, sert de toile de fond au plus étonnant des spectacles : mille deux cents invités font leur entrée pour le bal costumé du siècle. Les Dalí arrivent en géants, escortés par un nain. C'est Christian Dior qui a réalisé leurs costumes, sur les indications du peintre. Chaussés de hauts cothurnes et portant des couvre-chefs excentriques, noirs, extraordinairement pointus, ils sont drapés dans des brocarts rouge et or, aux couleurs de la Catalogne, et masqués. Précédés de danseurs montés sur échasses, ils incarnent leur propre mythe, leur propre monstruosité.

LA DÉESSE MÈRE

Le 18 novembre 1952, à neuf heures du matin, terrassé par une crise d'angine de poitrine, Paul Eluard meurt en prononçant un nom de femme : « Dominique ! » Il allait avoir cinquante-sept ans. Il avait épousé, un an avant, une jeune Parisienne originaire du Périgord, Dominique Lemort (de son vrai prénom Odette), de vingt ans sa cadette. Il est mort communiste. Et il est mort amoureux, ayant publié, un an avant de disparaître brutalement, *Le Phénix*, « le premier livre du bonheur toujours », un bouquet de poèmes qu'il a écrits pour Dominique :

> *C'est le commencement du monde*
> *Les vagues vont bercer le ciel*
> *[...]*
> *Éveille-toi que je suive tes traces* [5].

Gala n'assiste pas à son enterrement. Il est inhumé en grande pompe au Père-Lachaise, après que son cercueil a été exposé dans des chapelles ardentes, la veille et l'avant-veille, à la maison de la Pensée française, puis dans le hall du journal *Ce soir*. D'innombrables amis, connus et inconnus, sont venus lui rendre un dernier hommage, Aragon et Vercors prononcent un solennel adieu devant les grilles du cimetière. Dans *Combat*, René Char évoque la « course glorieuse » du « rare et merveilleux poète », son ami d'autrefois.

Si Gala n'a pas revu Eluard, elle ne reverra pas souvent leur fille. Gala a rompu avec tout passé. En 1968, Cécile Eluard, préparant une réédition de poèmes de son père, repense aux fresques de la maison d'Eaubonne que les nouveaux propriétaires, qui les trouvent laides, ont recouvertes de papier peint. Sur les conseils de son mari, elle retournera les voir, parviendra à les récupérer et elles seront vendues à la galerie André-François Petit, boulevard Saint-Germain, où Gala ne viendra pas les voir. Elle déteste les souvenirs. Ainsi qu'elle le dit souvent – c'est un de ses rares aveux : « Je ne me promène pas. Je marche... »

Veuve de Paul Eluard, elle peut se remarier devant l'Église. Salvador Dalí l'épouse, dans l'intimité, le 8 août 1958, à la chapelle Notre-Dame-des-Anges de Montrevij, un village de la province de Gérone. Elle a soixante-quatre ans. Salvador Dalí est toujours dithyrambique : « J'aime Gala plus que mon père, plus que ma mère, plus que la gloire et même plus que l'argent [6] ». Au soir du 3 septembre 1952, à Port Lligat, tandis que Gala vient d'admirer ce qu'il a peint dans la journée, il note dans son journal : « Je me couche heureux... Merci Gala ! C'est grâce à toi

« Je me couche heureux... Merci Gala ! C'est grâce à toi que je suis peintre. Sans toi je n'aurais pas cru à mes dons. »

---

5. « Marine », dernier poème du *Phénix*, dans *Œuvres complètes*, *op. cit.*, t. II, p. 446.
6. *Dalí de Draeger*, *op. cit.*, chap. « Gala ».

que je suis peintre. Sans toi je n'aurais pas cru à mes dons. Donne-moi la main ! C'est vrai que je t'aime de plus en plus[7]. » Elle, de son côté, professe encore un bonheur sans faille. Le 13 janvier 1952, elle écrit à leurs amis Morse[8] : « Pendant plusieurs mois, nous avons été en Espagne "chez nous". Dalí peignant le merveilleux tableau du Christ[9] et moi très occupée par la pêche, l'arrangement de notre petite maison, jardin, etc. » Elle signe « vos Dalí ». Lorsqu'en décembre 1957 Dalí est opéré de l'appendice à New York, elle est, de son propre aveu aux Morse, « plus qu'affolée » et « passe du matin au soir (tard) à l'hôpital ». Pourtant ses lettres accusent une fatigue qui est l'excuse de ses longs silences ou de ses retards à répondre au courrier. « Je me sens comme une fourmi courant d'ici à là pour mettre tout en ordre et à point. » Son affection pour Dalí n'a pas faibli : « N'oubliez pas votre petit bonhomme », demande-t-elle à ses amis en conclusion d'une lettre. Mais elle aspire à plus de tranquillité : « Moi vagabondant, lisant, vous écrivant – en un mot ne faisant rien, me reposant avant de me mettre à quelques travaux auxiliaires. » Gala n'est pas ce bloc de glace dont les médias répandront l'image : sous la femme d'affaires demeure la jeune fille, songeuse, solitaire, en quête d'une paix qui se dérobe. Sa volonté d'organisation et de puissance est le contrepoint d'une fragilité qu'elle dévoile rarement, d'une peur même, contre lesquelles elle se bat.

Mariage religieux de Gala et Dalí, le 8 août 1958 à Figueras, photographiés par Melitó Casals.

Lui n'a pas fini de la peindre : même vieillissante, elle continue de l'inspirer. Le peintre publie dans les années 1950 un *Manifeste mystique* où il rappelle qu'il est religieux, profondément influencé par le sens du sacré. Au cœur de la nouvelle mystique, il y a toujours Gala. En 1952, elle figure *L'Ange de Port Lligat* ; assise près de sa barque et contemplant le large, elle a des ailes au dos et domine de sa présence, calme, rassurante, la baie qui est pour lui le cœur du monde. La même année, *Assumpta corpuscularia lapislazulina* représente l'ascension d'une Gala archangélique, dont le grand corps étiré et comme transparent porte en son sein le Christ en croix. En 1954, vêtue comme une vestale, elle contemple, haut dans le ciel d'un noir d'orage, son fils crucifié. C'est le *Corpus hypercubus*. En 1956, il peint *Sainte Hélène à Port Lligat*, où, munie d'une croix et d'un livre, telle la sainte dont elle porte le

---

7. Salvador Dalí, *Journal d'un génie*, La Table ronde, 1964.
8. Toutes les lettres citées se trouvent parmi les archives du musée de Saint-Petersburg, en Floride.
9. Le célèbre *Christ de saint Jean de la Croix*.

nom et qui inventa, croit-on, le symbole de la Sainte Croix, elle prie pour son fils, l'empereur Constantin. En 1958, sur l'immense toile de *La Découverte de l'Amérique*, elle est la bannière vivante que Christophe Colomb brandit à son arrivée dans le Nouveau Monde. Au premier plan, Dalí, habillé en moine et baissant la tête dans une attitude d'humilité, porte un crucifix. En 1960, sur une autre immense toile, *Le Concile œcuménique*, Gala-Helena continue de tenir le livre et la croix. À travers les reflets changeants, elle plane avec son cortège de colombes et de figures allégoriques. À terre, Dalí se peint lui-même, le pinceau en suspens sur la toile vierge. En 1960 encore, l'étrange *Galacidalacidésoxyribonucléicacid* expose sa silhouette dans un monde nucléarisé, couleur de soufre, dont elle semble contempler l'explosion. Encore en 1969, elle éclaire le *Torero hallucinogène* : son visage apparaît en haut de la toile, dans un halo.

Salvador Dalí,
L'Ange de Port Lligat,
1952, huile sur toile,
59,8 × 78 cm,
The Salvador Dalí
Museum,
Saint-Petersburg,
Floride.

Tous ces tableaux semblent illustrer cette profession de foi, prononcée avec vigueur par Salvador lui-même : « Je fus chassé de ma famille en 1930 sans un sou. Mon triomphe mondial, je l'ai conquis avec la seule aide de Dieu, de la lumière de l'Ampurdán, et de l'héroïque abnégation quotidienne d'une femme sublime, mon épouse Gala. » Il lui voue une gratitude qu'il ne reniera jamais. Le 22 août 1961, l'expression de cette adoration trouve un point culminant au théâtre de la Fenice, à Venise, où Maurice Béjart crée le *Ballet de Gala* sur une musique de Scarlatti, avec des costumes et un décor de Dalí. Sur scène, un personnage pousse un fauteuil roulant dans lequel est assis un invalide avec une lampe de poche. D'autres éclopés surviennent et se débarrassent de leurs béquilles en les jetant dans des barriques d'où s'échappent des bulles d'un parfum Guerlain en ébullition. Apparaît Ludmilla Tcherina en déesse de la Terre et du Ciel. Une cascade de lait accompagne ses mouvements : divine mère, nourrice du monde, une séquence la montre au cœur même de l'œil qu'a dessiné pour tout décor Dalí. Des danseurs interprètent une danse orgiaque avant de se prosterner devant la déesse de l'œil. Gala, dans la salle, applaudit à ce spectacle.

LA COHORTE DES ANGES

Le mouvement hippy déferle sur l'Europe, ils veulent changer le monde, en faire un jardin des délices où chacun mènerait sa vie comme il l'entend. Le message plaît à Salvador Dalí, qui se vante depuis toujours d'avoir su « trahir sa classe », la bourgeoisie, pour faire siens les modèles de l'aristocratie. À Cadaqués, l'été, garçons et filles aux cheveux longs viennent camper sur la plage et se baigner nus dans les vagues… Dalí les reçoit au bord de la piscine en forme de phallus qu'il a fait construire dans le patio. Éros et le Christ se partagent la mythologie de Dalí.

Quand vient 1968, Gala a soixante-quatorze ans, Dalí soixante-quatre. Lui a pris du ventre et son crâne est déplumé. La chair du visage s'est affaissée et tachée de plaques brunes. S'il garde sa moustache conquérante et son allure excentrique, il a perdu sa beauté de jeune page et, lorsqu'il est paré, poudré, mis en plis, il a la figure pathétique d'une momie. Gala de son côté mène contre la vieillesse une lutte âpre et désespérée. Elle a adopté depuis longtemps une hygiène rigoureuse : comme Diane de Poitiers, la maîtresse d'Henri II, elle commence sa journée par un bain froid. Elle surveille son alimentation, à laquelle elle ajoute, à l'américaine, un grand nombre de vitamines et de sels minéraux. Elle pratique tous les matins un quart d'heure de gymnastique. Et elle passe des heures dans sa salle de bains, à s'enduire tout entière de crèmes nourrissantes. Mais son âge finit par la rattraper. Elle l'aura tenu à distance jusqu'à la fin des années cinquante, où elle peut encore se montrer à demi nue au soleil. Passé soixante-cinq ans, elle a recours à la chirurgie esthétique. Son visage, à force d'être tiré, prend une expression figée. Le regard perd son éclat. Gala quitte rarement ses lunettes noires, lesquelles sont d'ailleurs montées de verres correcteurs car sa vue, jusqu'alors parfaite, s'est soudain dégradée. Défense ultime d'une femme qui a su plaire sans artifices : elle refuse d'être photographiée. Elle laisse Dalí se présenter seul, le plus souvent, devant les photographes, ou bien elle exige de rester à l'arrière-plan, dans une lumière adoucie. Autour d'elle, les « anges » font ressortir son âge et rendent plus cruel son combat.

« De plus en plus, avoue Dalí à Louis Pauwels, mon érotisme me porte vers les êtres infiniment beaux, asexués [10]. » Pour lui, l'érotisme est un spectacle. Dalí résume ainsi : « Mon amour passe par l'âme, mon

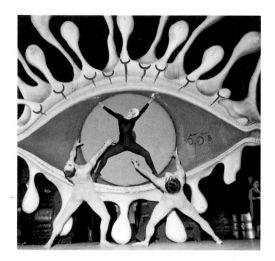

En haut :
La danseuse Ludmilla Tcherina durant la représentation du *Ballet de Gala* de Maurice Béjart devant un décor de Dalí, au Théâtre des Champs-Élysées, à Paris, le 17 avril 1962.

En bas :
Dalí, entouré des chanteurs Fiorenza Cossotto et Lorenzo Alvary, durant la préparation de la première représentation du *Ballet de Gala* à l'opéra La Fenice à Venise, en 1961.

---

10. *Dalí m'a dit*, op. cit., p. 127.

érotisme par l'œil[11].» Il organise des séances érotiques dont il règle minutieusement les scénarios. C'est principalement au Ritz, à Barcelone, qu'il met en scène ses fantasmes, dans la suite qu'il a l'habitude de réserver. Des soirées «angéliques» sont données à Port Lligat, quand Gala est en Italie. Dalí lui cache son théâtre érotique et ne l'associe jamais à ses fêtes. Il parle à Louis Pauwels du «puritanisme qu'elle a hérité des surréalistes». Elle connaît ses goûts et ferme les yeux sur ses distractions. Un «intendant des menus plaisirs», comme du temps des rois de France, est entré dans son entourage. Chose curieuse, il porte le nom de la voluptueuse comtesse maîtresse de Louis XV. Jean-Claude Du Barry, ancien mannequin, a créé à Barcelone sa propre agence. Il apprend vite à connaître les critères esthétiques du peintre et constitue un véritable press-book de modèles prêts à se plier à tous ses caprices. «Dalí n'a jamais touché aucun de mes mannequins, raconte Du Barry. Il pouvait jouir en regardant leurs ébats, mais il n'allait jamais au-delà.» Dalí est encore plus clair, qui confie à Louis Pauwels: «Personnellement, j'évite les contacts, accompagnant les effets du voyeurisme d'un peu de masturbation[12].»

Gala, qui est une sensuelle, se montre elle aussi gourmande de chair fraîche. Mais autant que de délices érotiques, dont elle est depuis longtemps privée dans son couple, c'est de tendresse et d'amitié qu'elle a besoin. Ses protégés, que les méchantes langues appellent des «gigolos» et les gens de Cadaqués des «fiancés», y pourvoiront. Michel est un philosophe français, Analysis un pianiste grec, William un Américain drogué que les Dalí ont ramassé à demi mort en 1963, sur un trottoir de Brooklyn. Gala est aux petits soins, l'emmène dans ses voyages en Italie, puis se lasse et, après trois ans de passion, abandonne William à ses démons. Il mourra d'une overdose. Jeff Fenholt, autre Américain, vedette de l'opéra rock de Webber et Rice, *Jésus-Christ superstar*, restera plus longtemps dans sa vie. Avec ses cheveux longs, sa maigreur, ses yeux qu'illumine l'usage répété des stupéfiants, il a la tête de l'emploi. Bien que de l'avis général il soit un médiocre acteur, à force de jouer son rôle tous les soirs, huit années de suite, il se prend carrément pour Jésus. Il confiera un jour à une journaliste qu'il est «la source de Dieu[13]». Lorsque Gala, suivie de son bel éphèbe devenu un compagnon officiel, entre dans la pièce où se tient Dalí, au milieu de la confusion de sa «cour des Miracles», l'artiste se lève et, à la fois solennel et sarcastique, annonce de sa voix roulante: «Gala i Jesousss-Christousss Souperrr-Starrr!»

---

11. *Ibid.*, p. 106.
12. *Ibid.*, p. 103.
13. Dans une interview à *Woman's Wear Daily*, 7 avril 1975.

Gala et Dalí au Lodge del Monte en 1947.

LA PROMESSE D'AMANDA

À l'automne 1965, Salvador Dalí est chez Castel, rue Princesse, avec sa cour de jeunes gens quand les Dioscures amènent à sa table une amie qui arrive de Londres : Amanda Lear. Avec son mètre soixante-seize, ses longs cheveux blonds et sa minirobe achetée à Portobello Road [14], elle est l'archétype de la beauté selon Dalí : « Vous savez que je suis pour la confusion des sexes, lui dira-t-il. La beauté c'est toujours l'idéal grec, l'hermaphrodite, l'être divin. D'ailleurs, vous pourriez être un garçon [15]. » Amanda Lear, qui étudie la peinture aux Beaux-Arts, à Londres, fréquente Marianne Faithfull et David Bailey, Twiggy et Ringo Starr, Mick Jagger et Penelope Tree. Elle est venue à Paris pour participer aux défilés de haute couture. Ce soir-là, elle est accompagnée d'un ami irlandais, Tara, et de Brian Jones, le guitariste des Rolling Stones. « Dalí était à moitié chauve, un peu gras, je le trouvai prétentieux et pour tout dire ridicule... [16] », écrira-t-elle.

Mais ce premier sentiment ne résiste pas au charme de l'extravagant soixantenaire, qui va se révéler mille fois plus psychédélique que ses amis. « Je suis le seul peintre LSD ne se droguant pas. Mes peintures sont comme des visions de drogués, des hallucinations, sans que j'aie besoin de prendre des hallucinogènes [17]. » Très vite, elle trouve en lui un compagnon charmant. Lui est séduit par son physique : « Vous avez une magnifique tête de mort », lui dit-il en guise de compliment.

Gala en compagnie de Robert Descharnes, William Rohtein et du poète grec Dimitri Tsakanikas Analis, 1964.

Dalí la surnomme « la Libellule », parce qu'elle ressemble à ces insectes dorés et minces qui portent bonheur. Il la surnomme aussi « la Mélancolie », d'après le chef-d'œuvre de Dürer, parce qu'elle a des airs tristes et souffre souvent de chagrins d'amour. Elle pose pour Dalí, bien sûr. Nue, les bras levés, la jambe gauche en avant, elle est *Angélique et le dragon*, appelé aussi *Roger délivrant Angélique* ou encore *Saint Georges et la demoiselle*, auquel Dalí travaille pendant quatre ans (1970-1974). Dans le *taller* de Port Lligat (son atelier), depuis 1956, il

---

14.   Le marché aux puces de Londres.
15.   Amanda Lear, *Le Dalí d'Amanda*, Lausanne, Favre, 1984, p. 48.
16.   *Ibid.*, p. 9.
17.   *Ibid.*, p. 12.

n'est plus tout à fait seul. Il a engagé un aide : un Catalan discret et dévoué, Isidore Béa, qui a pour mission de préparer les fonds et de tracer pour lui, selon ses indications, les silhouettes de l'arrière-plan, collaboration familière à la plupart des peintres du quattrocento. C'est Béa, qui dessinera le cheval du haut duquel saint Georges, armé d'une lance, terrasse le dragon qui va dévorer Angélique. Gala aurait, selon un témoin, tenté de lacérer la toile, par jalousie.

Dalí et Amanda Lear
à Paris en 1965.

Dalí lui présente sa nouvelle conquête quelques jours après leur première rencontre, alors que Gala revient de Genève. Il rendra compte ainsi à sa jeune amie du verdict de sa femme : « Gala vous a trouvée très narcissique. Elle dit que vous vous regardiez sans arrêt dans la glace. » Et d'ajouter : « Vous savez, elle juge très bien les gens et ne se trompe jamais[18]. » Agacée par la présence de cette jeune fille, Gala veut d'abord ignorer Amanda Lear. « Elle ne semblait faire aucun effort pour être aimable avec qui que ce soit », dira Amanda. Dalí confie : « Gala est une abeille : elle arrive, elle pique et elle s'enfuit aussitôt. » À Paris, à New York, elle ne tient plus en place. Pour elle, la sérénité n'a longtemps été possible que « dans ma maison », disait-elle. Or, Cadaqués est gagné par le brouhaha. Il lui faut voyager pour trouver la paix, en Italie et désormais en Grèce. Dalí appelle « Licorne » chacun des jeunes hommes qui se relaient auprès d'elle – du nom du bel animal qui veille sur les vierges médiévales et qui est le garant de leur chasteté.

Si Gala fuit le monde où Dalí se complaît, elle ne relâche pas sa vigilance et surveille toujours autant son « petit Dalí ». Quand elle s'absente, elle organise les menus et la pharmacie, et délègue les soins à des personnes de confiance – Arturo, Paquita, Rosa, leur femme de chambre, ou le fidèle Capitaine. D'abord méfiante à l'égard d'Amanda Lear, elle comprend vite que cette dernière lui sera précieuse. Quand elle n'est pas là, Amanda couche dans la « baraque », une sorte de studio pourvu d'une cheminée et d'une salle de bains, avec entrée privée, qui est le domaine ultra-réservé de Gala. Elle lui confie aussi, faveur exceptionnelle, la clé de la pharmacie. La jeune femme va bientôt la relayer dans la course effrénée des festivités. C'est Amanda qui tient le bras de Dalí au bal costumé que le baron de Rédé donne en décembre 1969. Le Tout-Paris, auquel se mêlent des têtes couronnées d'Europe ainsi que des vedettes du show-biz, y assiste, déguisé en sultans, fakirs ou odalisques : Alexis de Rédé a choisi de fêter l'Orient. Amanda Lear y vient en fleur de pavot tandis que Dalí, coiffé d'une perruque noire à la Vélasquez, cerclée d'une couronne de laurier, se présente « en Dalí ».

---

18. *Ibid.*, p. 23.

Le même couple assiste l'année suivante au « Bal surréaliste » que les Rothschild donnent au château de Ferrières. Dalí a inventé le costume d'Amanda, qui se résume en une coiffure mirobolante : une mâchoire de requin couronnée de roses artificielles. Lui-même joue les paralytiques, royalement installé sur une chaise roulante, sous un grand parapluie. Dalí, infatigable, a soif de nouveautés. Un jour sur deux, à Paris, Gala reste à l'hôtel tandis que Dalí et Amanda vont déjeuner en tête à tête chez Maxim's ou chez Lasserre. Noël les rassemble, ils prennent l'habitude de le fêter tous les trois, ou tous les quatre si Jeff est à Paris. Chacune de leurs sorties est une aubaine pour les photographes : le peintre à la célèbre moustache, enveloppé l'hiver dans des manteaux de fourrure, forme un couple extravagant avec sa très jeune compagne, en cuissardes la plupart du temps. Un jour de l'An, Gala qui trouve «hideux» le panier en osier qu'Amanda transporte partout lui offre un sac Chanel...

C'est au tour de l'Espagne de s'étonner. Dalí et Amanda défraient la chronique aux scandales. À Séville pour la célèbre *feria*, tous les paparazzi, oubliant les *toros*, les suivent à la trace. On les verra à Madrid arpenter bras dessus bras dessous le musée du Prado et les jardins de l'Escurial. Dans la capitale, où Dalí est venu rendre hommage à Franco, le couple déjeune au Ritz et loge à l'hôtel Palace, dans des suites communicantes. À Cadaqués, Amanda joue les maîtresses de maison. C'est elle qui reçoit Marcel Duchamp, Luis Miguel Dominguin, l'illustre matador, Uri Geller, le prestidigitateur, ou le duc et la duchesse de Cadix. Gala vient parfois rappeler sa souveraineté par quelques scènes de ménage. Mais en 1974, elle aura quatre-vingts ans, elle est épuisée. Un soir d'été, raconte Amanda Lear, Gala la convoque dans sa chambre, à Port Lligat, et lui explique que Dalí ne peut pas, ne saura jamais vivre seul. Qu'il lui faut une femme à ses côtés, une femme qui ne soit pas une écervelée, pour le guider, le soutenir, le protéger. Elle a consulté les tarots avant de lui parler et prié la Vierge noire de Kazan – cette icône qui ne la quitte jamais. Elle souhaite qu'Amanda Lear, à sa mort, épouse Dalí. « Gala insistait et me pressait de prêter serment... Le ton était péremptoire. Je jurai sur l'icône de ne jamais abandonner Dalí, et Gala me laissa partir [19] », rapporte Amanda.

« "Une petite paysanne, voilà ce que je suis", dit Gala à ceux qui la prendraient pour une star. »

LA REINE DE PÚBOL

Dalí, qui a dédié à Gala son *Journal d'un génie* («à mon génie [...], Gala, Gradiva, Hélène de Troie, sainte Hélène, Gala Galatea Placida»), veut lui faire un cadeau. Jusqu'alors, elle a toujours préféré qu'il lui

---

19. *Ibid.*, p. 265.

Gala posant pour
Bataille dans les nuages,
travail stéréoscopique,
1979.

offre un de ses tableaux. Elle est ainsi propriétaire de quelques chefs-d'œuvre, parmi lesquels *Le Pain*, celui qu'elle aime le plus. Dalí lui prépare cette fois une surprise.

C'est, au vieux village de Púbol, perché sur la colline au-dessus de La Bisbal, à quatre-vingts kilomètres de Cadaqués, une grosse maison en ruine, entourée d'un jardin abandonné, mangé par les herbes folles. Dalí l'achète à l'été 1968. Ce qui l'a séduit : quelques pierres de l'époque romane, un fronton miraculeusement intact où est sculpté l'emblème d'un corbeau et le caractère clos du domaine. Púbol se trouve à l'intérieur des terres, n'y habitent que des paysans. Il répond à la vocation de Gala : « Une petite paysanne, voilà ce que je suis », dit-elle à ceux qui la prendraient pour une star. Dalí en est convaincu : c'est pourquoi il a choisi pour elle, avec amour, un jardin dans un pays agricole, où elle pourra planter et soigner les fleurs qu'elle préfère, les roses. Son âge la prive de profiter de la Méditerranée. Gala apparaît si flétrie, si fanée, si menue qu'elle n'a plus qu'un seul désir : vivre en paix, recluse, les derniers temps qui lui restent.

Le château de Púbol, ainsi que Dalí l'avait deviné, plaît à Gala. « Je veux que ce soit monacal ici, dira-t-elle à Amanda Lear. J'ai souvent pensé à me retirer dans un couvent. À rester seule. J'aime la solitude et la simplicité. » Púbol sera son dernier refuge ; elle s'y retirera tous les étés, à partir de 1970, abandonnant Dalí à Port Lligat. Pendant deux ans, elle s'occupe elle-même, avec l'aide d'entrepreneurs locaux, de la rénovation et de l'aménagement de son château. Elle ne veut pas que Dalí s'en mêle. Púbol est son royaume. Elle fait graver à son nom des cartons d'invitation qu'elle envoie à son mari lorsqu'elle veut bien le recevoir chez elle, selon son protocole : « Gala vous invite le… à …, au château de Púbol. » Elle l'y accueillera souvent, mais il n'y restera jamais dormir. Gala a fait remonter les murs et refaire le toit. Elle a fait peindre en blanc les vastes et hautes pièces et les a laissées à peu près vides. Son Púbol est austère. Un dénuement néanmoins solennel et même assez pompeux : dans sa chambre, le lit est à baldaquin, d'énormes candélabres d'argent ou de fer forgé sont posés sur les tables, des torchères éclairent les murs. Les coussins, le samovar et les livres – inséparables objets familiers de Gala – réchauffent une atmosphère médiévale.

Seuls éléments rassurants et sympathiques, les quelques touches finales, que Gala a finalement commandées à Salvador Dalí: les cache-radiateurs – peints en trompe l'œil, ils représentent avec une rigoureuse exactitude les radiateurs qu'ils sont supposés cacher! –, les portes de la chambre – en trompe l'œil aussi, on les croit ouvertes même quand elles sont fermées! –, les bustes de Wagner autour de la piscine, le troupeau d'éléphants grandeur nature dans le jardin, enfin le trône de Gala – une chaise dorée dont le dossier (encore un trompe-l'œil) est une trouée sur l'horizon, le ciel et la mer de Port Lligat. Dernière fantaisie surréaliste: dans le grand salon à moitié vide, une table basse en verre, montée sur des pattes d'autruche, laisse apercevoir en transparence, à travers une lucarne découpée dans le plancher, les anciennes écuries, à l'étage au-dessous. Architecture d'art roman ou de carton-pâte, à la fois médiéval et surréaliste, c'est un abri un peu inquiétant.

La reine a des serviteurs: une cuisinière, un jardinier, une femme de ménage montent du village. Arturo fait la navette plusieurs fois par semaine entre Púbol et Port Lligat. Il vient prendre les ordres de Gala, qui garde grâce à lui un œil sur Cadaqués. Même à distance, elle

En haut :
Le château de Púbol.

En bas :
Le trône de Gala
au château de Púbol.

continue de veiller sur lui. Elle lui téléphone tous les matins, selon un rite immuable, et Dalí ne manquerait aucun de ses appels. Il lui raconte sa vie, ses songes; selon Amanda Lear, rien n'échappe à Gala. Mais la reine a un nouveau petit roi, qui partage sa vie quand elle vient à Púbol. «Monsieur» Jeff, Jésus-Christ Superstar, s'efforce de devenir un chanteur de rock. Gala a fait aménager spécialement pour lui une des pièces du château. Elle a acheté un piano, une guitare, une sono, des micros, des disques et des cassettes. Tout Púbol résonne lorsqu'il s'exerce, hurlant plus qu'il ne chante les textes qu'il compose. Elle l'encourage, cherche à faire sa promotion. Et bien sûr elle lui fait des «cadeaux»: pour l'aider à se lancer et entretenir la jeune femme et l'enfant qu'il a laissés dans le New Jersey. L'hiver, elle le retrouve à New York. L'été, elle lui offre son billet d'avion pour la Catalogne et envoie Arturo le chercher en Cadillac à l'aéroport de Barcelone.

Gala néglige Dalí, qui se ressent de leur séparation. Elle ne descend plus que rarement à Port Lligat. Et l'hiver, elle préfère le passer avec Jeff. Amanda Lear raconte qu'après une visite à Púbol, Gala les a raccompagnés à la grille du château. « En partant, nous lui fîmes un signe d'adieu en montant dans la vieille Cadillac. Dalí lui dit : — Reviens vite, Galuchka ! Je t'attends, tu sais. Reviens-moi ! *Baby, come back !* » Sur le chemin du retour, jusqu'à Cadaqués, il ne lui parlera que de Gala, en des termes tellement amoureux qu'Amanda Lear, un peu pincée, en conclut qu'« elle avait l'air de lui manquer[20] ». Amanda, comme Jeff, se lance dès 1976 dans une carrière musicale. Elle enregistre un premier disque, *Blood and Honey* (« Sang et Miel »), dont le nom est bien sûr inspiré par une des œuvres de Dalí, *Le sang est plus doux que le miel*. Elle chante *Follow Me*, puis *Sweet Revenge*, qui sera Disque d'or en 1978. Amanda s'éloigne, au grand dam de Gala, qui comptait sur sa présence. La « cour des Miracles » a encore dégénéré, elle compte de moins en moins de fans, de groupies – ne parlons pas d'amis – et de plus en plus de phénomènes qu'attirent le boire et le manger. Privé de son Ange de l'équilibre, et tandis que l'étau de la solitude se referme sur lui, Dalí est la proie de terreurs qui maintenant menacent sa raison. Il « régresse », selon la formule des psychiatres chargés de sa surveillance, il retourne inexorablement aux peurs de son enfance.

Jusqu'en 1980, Gala affirme encore, de loin en loin, son autorité. Quand elle sent que rien ne va, elle descend de Púbol et vient mettre un peu d'ordre dans le capharnaüm. Elle le gronde, lui fait changer ses vêtements, avaler une série de médicaments qu'elle puise dans son inséparable pharmacopée, puis elle le remet au travail. Car Dalí peint de moins en moins et n'honore pas les contrats qu'il continue d'accepter comme une mécanique. Elle se fâche et, comme il refuse d'obéir, elle l'enferme à clé dans l'atelier : il n'en sortira que lorsqu'il aura achevé l'aquarelle ou le dessin qu'on lui demande et qu'on lui a payé d'avance, au prix fort. Dalí, de plus en plus rebelle au travail commandé, tombe dans des crises au seul mot de « contrat » : il se met à hurler, à frapper les gens avec sa canne, et même à se rouler par terre en proférant des cris. Sa belle signature a changé : depuis 1973 ou 1974, sa main tremble de manière incontrôlable. Les médecins craignent qu'il ne soit atteint de la maladie de Parkinson dont est mort son père.

Gala à Púbol, devant une porte en trompe l'œil peinte par Dalí.

---

20. *Ibid.*, p. 206.

Curieusement, les spasmes nerveux cessent – selon les témoignages de Du Barry et d'Isidore Béa – dès que Dalí prend un pinceau et se met à peindre. Mais il passe moins de temps qu'autrefois dans le *taller* et ne parvient plus à dormir. Les médecins l'assomment de somnifères qui dérèglent son rythme naturel. Sans la présence d'airain de Gala, Dalí a perdu le mode d'emploi de la vie.

Enrique Sabater, devenu officiellement son fondé de pouvoir en 1975, en remplacement de Peter Moore, roule désormais en Rolls et en Ferrari, possède un yacht et plusieurs maisons si extraordinaires que Gala en prend ombrage. Où est l'argent ? crie-t-elle. N'ayant plus le contrôle de l'entreprise, elle ne sait pas dans quelles banques ni sur quels comptes tombent encore les revenus de Dalí ; elle accuse tantôt Dalí, tantôt Sabater, souvent les deux ensemble, d'être des incapables ou des voleurs. Une année, Sabater avoue qu'il n'a plus assez d'argent pour payer l'hôtel ! Les Dalí sont effrayés. Gala, dont la seule obsession a été de s'organiser pour ne jamais manquer de rien, pense qu'elle et Dalí sont ruinés. En 1974, la presse se fait l'écho d'un scandale financier : les douaniers ont arrêté à la frontière entre la France et l'Andorre une voiture chargée de quarante mille feuilles blanches qui portent la signature de Dalí. Partout dans le monde, les collectionneurs sont inquiets : des gravures et des lithographies qui portent la signature du maître pourraient être des faux Dalí, personne ne veut plus se porter garant de l'authenticité des œuvres. Selon Meryle Secrest « personne ne sait combien l'artiste a signé de feuilles en blanc… Il y a dans le monde entre 40 000 et 350 000 signatures authentiques de Dalí sur des feuilles de papier blanc. Personne ne saura jamais la vérité… [21] » En 1976, le gouvernement américain lance contre le vieux couple Dalí une enquête fiscale. Gala, qui a tenu les cordons de la bourse, ne laissant à Dalí que son argent de poche quotidien, se démène pour justifier sa gestion et fournir aux enquêteurs les pièces qu'ils réclament, copies de contrats, factures d'hôtels et de restaurants, bilans bancaires… Comme elle a eu toute sa vie la marotte de payer et d'être payée en liquide, sa défense n'a pas dû être facile. À la fin de l'année, en novembre 1976, ils doivent renoncer à leurs visas de résidents permanents. Ils ont eu peur d'aller en prison – l'une des obsessions de Dalí est de finir sa vie comme Cervantès ou comme Christophe Colomb, emprisonné pour dettes !

À l'aube des années quatre-vingt, les Dalí donnent l'image d'un couple à la dérive. Lui, à soixante-seize ans, maigri, voûté, ratatiné et presque chauve, ressemble à sa propre caricature. Il tremble comme une feuille sous son manteau de panthère, qui a lui aussi perdu son lustre. Elle, à quatre-vingt-six ans, le cheveu toujours noir et l'allure orgueilleuse, se laisse aller à quelques confidences : « Je n'y peux plus tenir.

Gala à Púbol, au pied d'une sculpture d'éléphant grandeur nature.

---

21. *Salvador Dalí, op. cit.*, p. 220.

221

Je veux le quitter. Son rôle est d'être charmant, le mien de rendre les gens furieux[22]. » Lorsque André Parinaud, agacé par les cabotinages de Dalí qu'il interviewe pour *Le Point*, le 28 janvier 1974, lui demande si le jour n'est pas venu de poser le masque, Dalí s'en tire par une pirouette. Poser le masque, ne serait-ce pas mourir avant l'heure ?

D'UNE COUPOLE À L'AUTRE

L'artiste n'a pas encore rendu les armes et son imagination est toujours un volcan en activité. En 1974, il va inaugurer en grande pompe le musée dont il rêve et qui sera son dernier chef-d'œuvre. Il y travaille depuis des années, malgré l'avis de Gala qui ne voit là que dépenses inutiles. C'est à Figueras, dans le vieux théâtre municipal, en grande partie détruit pendant la guerre civile, envahi par les herbes et les rats puis transformé en halle à poissons, que le projet prend forme.

Dalí en confie la rénovation à un jeune architecte catalan, Emilio Pérez Piñero, et dessine une « coupole géodésique » pour remplacer le toit en brique. Articulée et composée de facettes « comme un œil de mouche », elle ouvrira l'espace vers le haut. Le Teatro-Museo Dalí s'élève sur la plaza del Ayuntamiento, juste en face de la maison où il est né. Il entreprend en outre de faire débaptiser la place pour qu'elle devienne officiellement la *plaza Gala i Salvador Dalí*. Extérieurement, il garde la façade, construite vers 1840, dans un style néopalladien, mais fait entièrement remodeler l'intérieur. Sous la coupole irisée, un système de galeries éclairées par la lumière du jour organise un véritable jeu de piste. En son centre, là où se trouvait autrefois la scène, un portrait de Gala – la *Léda au cygne* – figure l'autel. De lourds rideaux de velours rouge donnent l'illusion qu'on pénètre dans un théâtre. Dalí a exposé dans ce curieux espace quelques-uns de ses trésors, parmi les plus insensés : le bidet du bordel Le Chabannais que fréquentait, croit-on, Édouard VII – il l'a déniché chez un antiquaire –, le sofa rose bonbon

En haut :
Façade du Théâtre-Musée Dalí de Figueras.

En bas :
La « Torre Galatea »,
au Théâtre-Musée Dalí
de Figueras.

---

22. Propos rapporté à Meryle Secrest par Carlos Lozano, un ami d'origine colombienne, ex-chanteur dans la comédie musicale *Hair*, dans *Salvador Dalí, op. cit.*, p. 200.

en forme de lèvres de Mae West, qu'il a créé du temps de Schiaparelli, le taxi pluvieux des années surréalistes londoniennes – il n'y pleut que si l'on y introduit une pièce de cinq pesetas –, un sarcophage en circuits imprimés, un lit Napoléon III, extravagantissime, en forme de coquillage, soutenu par quatre dauphins. Tout ce bric-à-brac dalínien, auquel s'ajoutent le chevalet de Meissonier, la tête du Greco, des meubles de Gaudí, des toiles de Bouguereau et des gravures de Piranèse, cohabite

Vue intérieure du Théâtre-Musée Dalí de Figueras.

avec ses plus beaux tableaux : *Le Grand Masturbateur* (1929), qui agaçait André Breton, *Le Spectre du sex-appeal* (1934), l'*Autoportrait mou avec une tranche de bacon grillé* (1941) et le portrait de Gala au sein nu, dit *Galarina* (1945). Y figurent aussi *Cesta de pan* (*La Corbeille de pain*) et le tableau inachevé pour lequel a posé Amanda Lear, *Angélique et le dragon*.

Inauguré le 23 septembre 1974, le musée s'ouvre sous de funestes auspices : l'architecte Emilio Piñero se tue quelques jours auparavant dans un accident de voiture. Mais, malgré cet inquiétant présage et un ciel gris et pluvieux, ce 23 septembre est jour de liesse à Figueras. Des invités sont venus du Japon et des États-Unis, les journalistes et les photographes se bousculent. L'atmosphère convient à Dalí, qui adore être le roi de la fête, beaucoup moins à Gala. Dalí est arrivé de Port Lligat avec à son bras une Amanda Lear rayonnante. Il a donné rendez-vous à Gala chez Durán, le restaurant où ils ont l'habitude de déjeuner tous les mardis. Le but de ces retrouvailles clandestines est bien sûr de ne pas défrayer la chronique : si Dalí est venu avec Amanda, Gala est escortée de Jeff. Également bronzé, superbe, il va lui être arraché : dès leur arrivée au musée, il se perd dans le tourbillon. Gala, dans un vieux Chanel, défaite, crie « Jeff ! Jeff ! », tandis que Dalí la tire par le bras. Elle s'esquive sitôt la fin des discours du maire et de Dalí, pressée de rentrer à Púbol et absolument indifférente au spectacle pourtant mirobolant, dernière invention de son génie. Dalí surnomme son théâtre-musée « la Sainte-Chapelle cinétique ».

À partir de 1974, la santé de Dalí se détériore de manière spectaculaire : ses tremblements s'accentuent, sur son corps décharné le ventre est proéminent, il se voûte et rapetisse, les taches brunes sur son visage font craindre un cancer de la peau. En 1978, il subit à Barcelone une ablation de la prostate, ce qui, contre toute attente, le requinque et lui rend un peu d'optimisme. Il n'a pas encore perdu le sens de l'humour : à son médecin, le docteur Puigvert, il laisse en guise de remerciements une carte postale portant en dédicace *Al meu ángel del pipí…* Aux ennuis de santé et d'argent s'ajoutent les tracas politiques. En septembre 1975, Franco fait exécuter cinq terroristes basques emprisonnés. Et Dalí lui envoie un télégramme de félicitations ! Interviewé par la radio française dès le lendemain, il ajoute qu'« il aurait dû en exécuter davantage », faisant allusion à un groupe d'autres terroristes emprisonnés. Bien qu'il se soit toujours déclaré contre la peine de mort, il pense que « vingt condamnations à mort sont, très certainement, plus économiques qu'une guerre civile[23] ». Les consé-quences ne se font pas attendre : il reçoit des menaces de mort, les murs de sa maison de Port Lligat se couvrent de graffitis injurieux et l'on dépose une bombe sous la chaise qu'il occupe d'habitude au Via Veneto, un de ses restaurants préférés à Barcelone. Panique immédiate : Dalí a d'horribles cauchemars et ne veut plus sortir. Il appelle Gala, qui n'est pas plus rassurée et décide de se rendre plus tôt que de coutume en Amérique, le seul pays où ils n'ont jamais été ennuyés pour leurs idées politiques. La mort de Franco, le 20 novembre de cette même année, aggrave les peurs de Dalí, qui a toujours vu un protecteur dans le Caudillo. À ses tremblements s'ajoute désor-mais, selon Robert Descharnes, une sorte de handicap de tout le côté gauche de son corps. Dalí, sans doute victime d'une attaque, se met à claudiquer.

Gala et Dalí
le 21 décembre 1980,
lors de leur dernière
apparition publique
à Monaco.

Gala doit le soigner et, alors qu'elle-même tousse sans répit, s'occuper de lui comme si elle avait toujours vingt ans. « Un jour, raconte Amanda Lear, Gala me téléphona en pleu-rant… Je l'entendais sangloter… Je voudrais bien me reposer, me dit-elle, mais Dalí ne veut pas que je le quitte un seul instant. Je ne peux même pas aller chez le coiffeur, je ne sors pas de la maison, je n'en peux plus. » La dernière apparition officielle de Gala aux côtés de son mari a lieu sous la coupole de l'Institut de France. Dalí y est reçu, le 9 mai 1979, comme membre associé étranger de l'Académie des beaux-arts, où il a été élu l'année précédente. Il se présente en habit vert, la moustache

23. Interview donnée à *L'Express*, mai 1971.

lustrée à la cire Pinaud. Gala est en robe pourpre. Le compositeur Tony Aubin, secrétaire perpétuel de cette académie, l'accueille d'un discours chaleureux : « Vous êtes un génie, monsieur. Vous le savez, nous le savons… S'il en était autrement vous ne seriez pas parmi nous, et surtout vous ne seriez pas vous-même… » Selon Michel Déon, le peintre répond avec maladresse, improvisant des remerciements « pitoyable[s] et décousu[s], avec des passages à vide qui faisaient mal au ventre ». Son discours, intitulé *Gala, Vélasquez et la Toison d'or*, n'est pas à la hauteur de son titre. « Il bafouilla tant qu'on n'y comprit rien », raconte Michel Déon. Dans la salle, Gala, dans sa robe de dogaresse, ne bronche pas. Elle est solennelle et digne, et son visage reste impassible même lorsque Dalí, ayant fini de parler, veut brandir son épée d'académicien pour la mon-

Gala accompagne Dalí, revêtu de son costume d'académicien des Beaux-Arts de l'Institut de France, le 9 mai 1979.

trer au public avant de quitter la tribune. Forgée à Tolède, elle a une poignée en forme de cygne. Dalí l'a dessinée lui-même et l'a voulue immense, « une épée de géant ». Mais le géant n'a pas la force de la soulever : pathétique, il doit finalement demander l'aide d'un huissier qui la soulève pour lui…

Dalí avoue avoir « une terrible peur de la mort ». Gala, elle, n'a peur que de vieillir. « Le jour de ma mort sera le plus beau jour de ma vie », dit-elle. C'est que Gala, contrairement à Dalí qui est « catholique sans la foi[24] », est sincèrement religieuse. À Alain Bosquet qui, en 1966, lui posait cette question : « Que direz-vous à Dieu ? », il répondit du tac au tac : « On ne peut pas lui parler[25]. » Pour tenter d'exorciser sa terreur de la mort, Dalí cite García Lorca qui, devant ses amis, mimait sa propre agonie. Dalí a trouvé un autre subterfuge : la théorie de l'hibernation, congeler un corps vivant pour qu'il puisse revivre après quelques années ou quelques siècles passés dans le froid. « Je commencerai à naître demain[26] », déclare-t-il.

Mais Gala, qui « comme tous les Russes » – selon Dalí – entretient avec la mort un rapport de familiarité, paisible et doux, a horreur de

« Dalí avoue avoir "une terrible peur de la mort". Gala, elle, n'a peur que de vieillir. "Le jour de ma mort sera le plus beau jour de ma vie", dit-elle. »

24. Alain Bosquet, *Entretiens avec Salvador Dalí*, op. cit., p. 42-43.
25. *Ibid.*, p. 136.
26. *Ibid.*, p. 158.

cette idée, pour elle le comble du mauvais goût. Dès 1967, Dalí confiait à Louis Pauwels : « Je voudrais tant qu'elle survive, qu'elle se fasse avec moi enfermer dans un cylindre d'hélium en attendant une résurrection ! Mais elle n'y tient pas. Et c'est un chagrin pour moi [27]. » Tandis qu'ils vieillissent, Dalí parle de moins en moins de ce sujet qu'il abordait jusqu'alors avec complaisance. Mais à Louis Pauwels, il a confié très tôt cette panique : « Si Gala disparaissait, personne ne pourrait prendre sa place. C'est une impossibilité absolue. Je serais seul. »

LA MORT EN CADILLAC

Pendant l'hiver 1980, à New York, Gala et Salvador Dalí tombent tous les deux malades de la grippe. Ils doivent garder la chambre pendant plusieurs semaines, s'y font monter leurs repas et refusent de voir quiconque en dehors de leur avocat, Michael Stout, qui leur rend une

visite quotidienne et tente en vain de leur remonter le moral. Gala perd le peu de forces qui lui restent et montre pour la première fois, selon tous les témoins, des signes inquiétants de débilité sénile. La mémoire défaillante, le regard souvent absent, son agressivité paraît pathologique. Quand elle est contrariée, elle prend feu et se met à frapper Dalí, devenu son bouc émissaire. Elle le roue littéralement de coups et lui entaille le visage avec les gros cabochons de ses bagues fantaisie. La violence fait son apparition dans le ménage. Dalí n'est plus que l'ombre de lui-même, les angoisses lui ont fait perdre tout appétit. Atteint d'anorexie, il n'accepte de se nourrir que si quelqu'un goûte les aliments avant lui – il craint d'être empoisonné. Gala le bourre de médicaments, sans contrôle médical : il souffre d'une toxémie due à une consommation abusive d'antibiotiques et d'antidépresseurs. Décharné, tremblant comme une feuille, l'œil affolé en permanence, il a perdu toute confiance en lui-même comme en son entourage. Il n'exorcise plus ses démons que dans la violence : il ne frappe pas seulement de sa canne les domestiques ou les visiteurs, il se met à frapper Gala.

Salvador Dalí,
Dalí de dos peignant
Gala de dos éternisée
par six cornées
virtuelles provisoirement
réfléchies par six vrais
miroirs, 1972-1973,
huile sur toile,
60,5 × 60,5 cm,
Théâtre-Musée Dalí,
Figueras.

27. *Dalí m'a dit*, *op. cit.*, p. 50. Il disait aussi à Louis Pauwels : « Comme tous les Russes, Gala aime la mort. »

De retour en Europe, les Dalí n'assistent pas au vernissage de la grande rétrospective que le centre Georges-Pompidou a organisée en décembre 1980, tandis que les employés du musée sont en grève: ils craignent des manifestations d'hostilité contre Dalí et ses déclarations profranquistes. Gala et Salvador s'enfuient: ils font affréter un avion privé et repartent dare-dare pour Port Lligat. Dalí est hospitalisé à

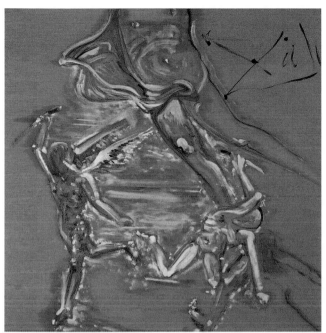

Salvador Dalí,
*The Exterminating
Angels*, 1981, huile
sur bois, 122 × 122 cm.

Barcelone, dans la clinique du docteur Puigvert, qui le déclare dans un état grave et conseille un soutien psychiatrique. Lavé de ses excès médicamenteux, livré aux psychiatres et rentré chez lui, il peint *Exterminating Angels*, une toile où figurent ses plus macabres obsessions. Le malheur s'attache à lui. Le professeur Joan Obiols, qui soigne Dalí pour une « panaroïa aiguë », meurt à Port Lligat, sous les yeux de Gala, foudroyé par une crise cardiaque. Son successeur, le psychiatre Ramón Vidal Teixidor, se casse la jambe, quelques jours plus tard, en tombant dans l'escalier de la maison !

Gala ne peut plus quitter Dalí, qui du fond de sa noire dépression réclame sa présence et son soutien. Elle doit renoncer à Jeff, qui refuse désormais de quitter l'Amérique. L'amertume, comme une grande vague de fond, s'abat sur elle. Elle n'accorde plus à Dalí, malade ultra-difficile, qu'un regard distrait: Gala se prépare à mourir. Toute la vie de cette femme, remarque Jean-François Fogel, n'aura été que dévouement. D'après le journaliste qui a bien connu le couple, « Dalí a été très dur et très âpre avec elle. Ils ont toujours fait ce qu'il voulait faire, lui, non ce que Gala voulait[28] ». Le docteur Roumeguère, premier analyste de Dalí, qui découvrit chez lui, comme fondement de sa logique, le syndrome du jumeau, explique: « La vérité, c'est que Dalí n'a plus envie de vivre... Ce à quoi on assiste ici, c'est un suicide. Tout simplement parce que Gala ne s'occupe plus de lui. Elle a quatre-vingt-six ans, il ne lui reste que deux ou trois heures de lucidité par jour et elle les utilise à penser à Jeff..., qu'elle appelle aussi Salvador... Elle rudoie et injurie Dalí autant qu'elle peut. Alors, c'est tout son monde qui s'écroule. Vous avez certainement entendu parler de bébés qui, brutalement coupés de leur mère, à cause d'une guerre ou d'une grave maladie, se laissent mourir de désespoir. Dalí, c'est la même chose. »

28. Jean-François Fogel à Meryle Secrest, *Salvador Dalí, op. cit.*, p. 207.

Quand Amanda Lear téléphone, Dalí ne veut plus lui parler. Gala se lamente: «Quelle déchéance! Nous finissons bien tristement[29].» Le plus souvent, c'est Arturo qui lui donne des nouvelles: *Aquí, estamos muy mal, es muy triste…* En février 1981, Gala tombe de son lit durant la nuit, à l'hôtel Meurice. Elle se casse deux côtes, se blesse à la jambe et au bras. Dalí appelle au secours. L'entourage insinue en douce qu'une dispute aurait éclaté entre les époux. Le dernier été à Port Lligat, l'été 1981, qu'aurait dû ensoleiller la visite du roi Juan Carlos et de la reine Sophie, est sous le signe de Parkinson et d'Alzheimer: Dalí claque des dents, voit des rhinocéros jusque sous son lit et croit à chaque instant qu'on va l'assassiner. Gala, de plus en plus renfermée, est colère et violence quand elle n'est pas toute à l'absence. C'est un couple de vieillards pathétiques que réchauffe encore, à rares intervalles, un reste de tendresse. La visite de Juan Carlos provoquera l'une de leurs dernières bagarres. Tandis que le yacht royal, *La Fortuna*, jette l'ancre dans la baie, Gala veut interdire à Dalí d'arborer sa *beretina*, l'espèce de bonnet phrygien rouge, chapeau traditionnel des hommes en Catalogne. On devra les séparer pour les empêcher d'en venir aux mains…

Gala renonce à Púbol. Désormais, pour la vieille reine fragile et solitaire, la vie est trop rude dans son château, elle n'arrive plus à monter les marches qui conduisent jusqu'à sa chambre. Elle souffre de pertes d'équilibre, dues à l'artériosclérose. Une première chute dans sa salle de bains de Port Lligat l'éprouve gravement, en février 1982. Lors d'une seconde chute, elle se casse le fémur. Emmenée en ambulance à Barcelone, à la clinique Platon, et opérée, elle reste trop longtemps alitée. L'état de sa peau est catastrophique. Trop souvent tirée, liftée, raccommodée, elle se déchire spontanément, se fissure, s'infecte. Les plaies ne cicatrisent plus. Des lésions, vilaines à regarder, entament un corps qui jusqu'alors était encore sain. Lucide, elle demande qu'on lui donne des nouvelles de Dalí, puis sombre dans l'agonie. Dalí lui rend visite une seule fois. Le spectacle de Gala, morceau de chair torturée et douloureuse, lui fait peur.

En avril, elle rentre mais elle ne se relèvera plus. Des infirmières la lavent, la coiffent et tentent de soulager ses souffrances. On a tourné son lit pour qu'elle puisse regarder la mer par la fenêtre. Elle ne parle qu'à peine. La nuit, Dalí vient se coucher dans le lit jumeau. Il fait placer un paravent entre eux: il ne supporte plus de la voir. Début juin, comme son état a encore empiré, elle reçoit le sacrement de l'extrême-onction des mains du prêtre de Cadaqués. Dalí erre comme une âme en peine, interrogeant chacun, demandant avec angoisse si Gala va mourir: il espère qu'elle va guérir et redevenir la jeune Galuchka, la belle Gradiva de toujours. Gala s'accroche. Elle refuse de voir sa fille qui, alertée par

«Ne me montre pas les choses que j'ai tant aimées. Cela me fait mal de les voir…» Dalí

---

29. Rapporté par Amanda Lear, *Le Dalí d'Amanda*, *op. cit.*, p. 284.

la presse, est venue spécialement. Le 10 juin, dans l'après-midi, Dalí, qui se repose dans sa chambre, pousse un beuglement qui donne l'alerte : Gala, les yeux ouverts sur le cap Creus, est morte.

Quelques instants plus tard, on organise son dernier voyage. Dalí veut respecter le vœu de son épouse : être enterrée à Púbol. Une très ancienne loi espagnole, qui remonte aux temps de la peste, interdit de déplacer un corps sans la double permission d'un magistrat et des autorités municipales concernées. La nuit, le corps nu de Gala, enroulé dans une couverture, est placé sur le siège arrière de la Cadillac. Arturo se met au volant. Une infirmière l'accompagne : si la police les arrête, ils diront que Gala est morte au cours du trajet vers l'hôpital. La Cadillac, complice de tant de voyages heureux, maintenant transformée en corbillard, effectue lentement les quatre-vingts kilomètres qui séparent la *casa* Dalí du château. Arrivé à Púbol, Arturo prend Gala dans ses bras et la porte jusqu'à sa chambre. Tout est prêt pour la recevoir. Le corps de Gala est embaumé, habillé de velours rouge, maquillé, parfumé et ses lourds cheveux noirs sont coiffés de son nœud Chanel. Arturo repart

La crypte du château de Púbol, où Gala est enterrée le 11 juin 1982.

aussitôt pour aller chercher Dalí, qui arrive à Púbol escorté de Robert Descharnes, d'Antonio Pitxot, de son avocat catalan, Miguel Domenech, et d'un cousin, Gonzalo Serraclara. Placée dans un cercueil au couvercle transparent, Gala est enterrée dans la crypte du château, le 11 juin, à six heures du soir. En présence de ces rares « intimes » et des domestiques.

À Port Lligat, tous les volets sont clos. Dalí ne reviendra plus dans sa maison après la mort de sa femme. Il veut rester à Púbol. Il s'y enferme, avec Arturo et une cuisinière, quatre infirmières et son dernier carré de fidèles – Descharnes, Pitxot, Serraclara, Domenech –, qui se réduit vite à la garde affectueuse du duo Descharnes et Pitxot. Dalí fait fermer les volets : il ne veut plus voir le jour. Antonio Pitxot, interviewé par *Paris-Match* [30], raconte qu'il a voulu lui montrer les orangers en fleur dans le jardin de Gala et que Dalí, les larmes aux yeux, l'a supplié de refermer la fenêtre : « Ne me montre pas les choses que j'ai tant aimées, lui dit-il. Cela me fait mal de les voir… » Le 20 juillet, un mois après la mort de Gala, le roi Juan Carlos décerne à Dalí la grand-croix de Charles III et le fait « marquis de Púbol ». Dalí veut porter fièrement ce nom qui le rapproche de Gala. Pour remercier l'Espagne, il fait cadeau à l'État du dernier grand portrait de la défunte, *Les Trois Énigmes glorieuses de Gala*.

---

30. Numéro du 9 mars 1984.

En 1983, Dalí essaie de se remettre à peindre. Il travaille dans la salle à manger de Púbol, assis sur un tabouret, à la lumière électrique, tandis que l'une de ses infirmières lui fait la lecture, comme Gala jadis. Isidore Béa monte au château tous les samedis pour préparer des toiles qui s'entassent le long d'un grand mur. *Côtelette et allumette*, *Le Crabe chinois*, *La Queue d'aronde* sont parmi les dernières œuvres d'un artiste qui détruit le soir, dans des crises d'une violence inouïe, les tableaux qu'il a eu tant de mal à peindre et dans lesquels il ne se reconnaît plus. Au mois de mars, il renonce une fois pour toutes à ses crayons et à ses pinceaux. Il veut mourir. Allongé sur son lit, pleurant dans la pénombre, il refuse de se nourrir. On l'alimente avec une sonde. Quand on s'approche, il hurle, désirant qu'on le laisse enfin tranquille. Le 30 août 1984, le feu prend dans son lit. Il a été provoqué par un court-circuit des fils électriques de la sonnette, qui, suspendue à sa manche par des épingles, lui sert à appeler les infirmières. C'est Robert Descharnes qui franchit le rideau d'épaisse fumée et empêche Dalí de brûler vif. Soigné à la clinique Notre-Dame du Pilar de Barcelone, où il devra subir des greffes de la peau, Dalí ne retournera pas à Púbol.

Il s'enferme dans sa dernière demeure : son musée. Une tour très ancienne, vestige des fondations de la ville, a été rajoutée en 1984 à l'une des ailes. C'est la « Tour, prends garde » et le dernier œuf où il veut vivre, tant il est effrayé par le monde. La mort de Gala le rend à l'état fœtal : il ne parle plus, ne mange plus, ne se déplace plus. C'est un fantôme qui, pendant cinq ans, habite la Torre Galatea. Chouchouté par les infirmières et par les deux amis qui restent près de lui, il refuse d'apparaître en public. Le mort-vivant de la tour ne prononcera plus le nom de Gala et souhaite ne plus l'entendre. Transporté à la clinique Cirón de Barcelone à la suite d'une défaillance cardiaque, Dalí y meurt le 23 janvier 1989 – moins de sept ans après sa femme. Son corps, embaumé et revêtu d'une tunique blanche, regagne Figueras en grand cortège : les Catalans applaudissent au passage du corbillard. Il est enseveli dans son théâtre, sous la coupole géodésique, parmi les objets de son musée. Sans Gala, il ne pouvait plus vivre. André Parinaud rapportait, dix ans avant la mort du peintre, ces mots qu'il lui avait confiés : « Gala avait atteint déjà un degré de maturité et de désespoir qui la rendait sensible à la réalité totale de ma tragédie, lui permettait de communiquer immédiatement avec mon moi le plus secret et de m'offrir le don de son énergie rayonnante, de façon presque médiumnique. À travers elle, je communiais avec le cri de la vie. »

Salvador Dalí,
*La Découverte des
Amériques par
Christophe Colomb*,
1959, huile sur toile,
410 × 284 cm, The
Salvador Dalí Museum,
Saint-Petersburg,
Floride.